Alexis Michalik

Le Cercle des illusionnistes

Présentation, notes, questions et après-texte établis par
CÉCILE RICHAUDEAU
professeure de Lettres

MAGNARD

Sommaire

PRÉSENTATION 5

LE CERCLE DES ILLUSIONNISTES
Texte intégral 9

Après-texte

POUR COMPRENDRE

Étape 1 **La magie du destin** 126
QUESTIONS Lire – Écrire – Chercher – Oral
À SAVOIR Le destin

Étape 2 **La magie de l'amour** 128
QUESTIONS Lire – Écrire – Chercher – Oral
À SAVOIR L'amour

Étape 3 **Une comédie** 130
QUESTIONS Lire – Écrire – Chercher – Oral
À SAVOIR Visées de la comédie et du registre comique

Étape 4 **Le théâtre ou l'art de la vie** 132
QUESTIONS Lire – Écrire – Chercher – Oral
À SAVOIR La mise en scène

Étape 5 **Illusions en tout genre** 134
QUESTIONS Lire – Écrire – Chercher – Oral
À SAVOIR Illusion théâtrale

Groupement de textes
Illusions théâtrales 136

Interview exclusive d'Alexis Michalik 148

Information/Documentation
Bibliographie, filmographie, vidéographie, visites,
sites Internet, émission de radio 157

ALEXIS MICHALIK

Né en 1982, Alexis Michalik grandit à Paris et se découvre une passion pour le théâtre au collège. Alors qu'il vient d'obtenir son baccalauréat scientifique et qu'il est admis au Conservatoire National Supérieur d'Art Dramatique, il décide de ne pas en suivre l'enseignement pour monter sur les planches. En 2001, il incarne Roméo dans une adaptation libre de la pièce de Shakespeare d'Irina Brook (*Juliette et Roméo*). Il joue, notamment au festival Off d'Avignon, dans des pièces classiques qu'il revisite, comme *La Folle Journée* d'après *Le Mariage de Figaro* de Beaumarchais ou *La Mégère à peu près apprivoisée* d'après la pièce de Shakespeare (*La Mégère approvoisée*).

Alexis Michalik multiplie les rôles dans des séries (dont *Kaboul Kitchen* et *Versailles*), ce qui lui permet, dans les premiers temps, de financer ses projets dramatiques. On le retrouve également au cinéma (*Sagan* de Diane Kurys, *Des gens qui s'embrassent* de Danièle Thompson, *La Banda Picasso* de Fernando Colomo) et derrière la caméra pour des courts-métrages à partir de 2013 (*Au sol*, *Pim-Poum le petit panda* et *Friday Night*) et en 2019 pour son long métrage, *Edmond*.

C'est à la demande d'un ami, directeur d'un théâtre parisien, qu'il écrit et met en scène *Le Porteur d'histoire* en 2012. Le succès est au rendez-vous. Deux ans plus tard, *Le Cercle des illusionnistes* voit le jour. Ses nombreux talents sont récompensés : il reçoit notamment le Molière de l'auteur francophone vivant et celui du metteur en scène de théâtre privé.

En 2016, sa pièce *Edmond* remporte cinq Molières et ce triomphe, à la fois critique et populaire, se prolonge au cinéma avec son adaptation en janvier 2019. Sa dernière création, *Intra Muros*, relate la rencontre entre les mondes théâtral et carcéral.

Féru de comédies musicales (*West Side Story*), de fresques romanesques (*Le Comte de Monte-Cristo* de Dumas) et de séries américaines, Alexis Michalik rêve de raconter des histoires qui épargnent l'ennui au spectateur. L'intrigue est ficelée comme un scénario, le rythme emprunte à l'art du montage cinématographique et la mise en scène est ingénieuse et énergique.

Dans *Le Cercle des illusionnistes*, comédie vertigineuse, les époques, les lieux et les passions se répondent étrangement. L'auteur joue avec différents degrés de réalité en mêlant habilement les vies de deux grands créateurs que furent Robert-Houdin, célèbre illusionniste du XIXe siècle, et Georges Méliès, réalisateur de films, avec celles, fictives, de deux jeunes gens, qui, au-delà des apparences, se trouveront.

L'étude de cette pièce correspond aux attentes des nouveaux programmes du collège et du lycée. En 3e, le thème « visions poétiques du monde » peut trouver un écho dans les destins croisés de personnages qui enchantent leur quotidien par l'art et l'amour. En outre, l'invention du cinéma moderne par Méliès ainsi que la réflexion plus générale sur les liens entre l'artisanat et l'art illustrent le thème « rêves et progrès scientifiques ». Enfin, les questionnements sur l'illusion théâtrale s'inscrivent parfaitement dans l'objet d'étude « théâtre du XVIIe au XXIe siècle » pour le lycée.

Alexis Michalik

Le Cercle des illusionnistes

Le spectacle
Le Cercle des illusionnistes
d'Alexis Michalik
a été créé à Paris,
au Théâtre de la Pépinière,
le 22 janvier 2014,

avec
Jeanne Arènes
Catherine, la libraire, Antonia, Louise, Margot, Catherine II, la cliente, Madame Gabrielle, Jeanne.

Maud Barcker
Avril, Suzanne.

Michel Derville
L'horloger, l'escamoteur, l'antiquaire, Von Kempelen, le peintre, Charles.

Arnaud Dupont
Le patron, Georges, Worousky, Manuel, le vigile.

Vincent Joncquez
Louis, Jean, Gérard, Marius, Lallement.

Mathieu Métral
Décembre, William, Lucien.

Mise en scène : Alexis Michalik
Assistante à la mise en scène : Anaïs Laforêt
Scénographie/vidéo : Olivier Roset
(assisté de Juliette Azémar)
Costumes : Marion Rebmann
(assistée de Clotilde Jaoui)
Musique : Romain Trouillet
Magie : Romain Lalire
Lumières : Pascal Sautelet

Production : La Pépinière théâtre,
Théâtre des Béliers Parisiens,
Mises en Capsules

1.
Prologue
Le Turc mécanique

L'HORLOGER, *s'adressant au public.* – Un foulard rouge est agité devant vos yeux.
Il est plongé dans une main.
La main s'ouvre, elle est vide.
5 Vos cellules grises[1] se mettent à travailler : où est passé le foulard ?
Certains savent, d'autres cherchent, les derniers ne veulent pas savoir.
Tout est une affaire de perception : les aiguilles du temps tournent à la même vitesse pour tout le monde, pourtant, un enfant attend l'été pendant ce qui lui semble être une éternité, alors qu'un vieillard voit
10 passer une année en clignant des yeux.
La Terre sur laquelle nous vivons tourne sur elle-même, elle tourne également autour du Soleil. Notre système solaire tourne dans notre galaxie, et notre galaxie tourne de plus belle.
Tout tourne, et nous l'admettons tous, pourtant, nous ne le voyons pas.
15 Si nous pouvons admettre que nous tournons, ne pouvons-nous pas admettre que le foulard a disparu ?
En 1776, un inventeur présente à la cour de l'impératrice de Russie un automate[2] joueur d'échecs. Il s'agit d'un buste humain, représentant un Turc, avec turban et moustache, qui repose sur un meuble d'environ un
20 mètre de large, contenant la machinerie. Sur le meuble, devant le buste, est posé un échiquier en ivoire.
L'automate gagne systématiquement toutes les parties qu'il joue.

---

1. En anatomie, cellules de couleur grise de l'encéphale ; ici cela renvoie à l'activité intellectuelle.
2. Machine qui reproduit les mouvements d'un être vivant grâce à des mécanismes.

En 1805, à Blois, naît Jean-Eugène Robert, fils d'horloger, petit-fils d'horloger.
25 En 1861, à Montreuil, Catherine Schuering, fille de cordonnier, mariée à un riche cordonnier, donne naissance au petit Georges.
En 1954, à Aubervilliers, naît Décembre.
Il est abandonné à la naissance, et élevé dans un orphelinat catholique.
Pour ne jamais abandonner lui-même d'enfant, il décide de ne jamais
30 en avoir. Pour ne jamais en avoir, il se fait opérer d'une vasectomie[1], le 17 mai 1974. Au fil des ans, il exerce plusieurs petits métiers, mais son activité principale consiste à voler des portefeuilles, dans le métro parisien. Le 16 juin 1984, il vole un sac, mais sur la photo de la carte d'identité, il trouve la fille jolie. Alors, il la rappelle.

2.

19 juin 1984, 20 h 32, Paris

France-Yougoslavie

Un bistrot parisien.
À la télé, le troisième match de poule[2] de l'euro 1984[3] est diffusé : France-Yougoslavie.
LA TÉLÉ *off*[4]. – *France-Yougoslavie.*
5 C'est le troisième match de poule de l'équipe de France, après un début tonitruant[5] : deux matchs, deux victoires, 1-0 contre le Danemark, 5-0

---

1. Opération chirurgicale entraînant la stérilité masculine.
2. Groupe d'équipes destinées à se rencontrer avant les matchs en élimination directe.
3. Championnat d'Europe de football organisé par l'UEFA entre le 12 et le 27 juin 1984 par la France.
4. Voix du commentateur.
5. Retentissant.

contre la Belgique, la France qui est d'ores et déjà qualifiée pour les demi-finales, au contraire de la Yougoslavie qui, elle, a perdu ses deux premiers matchs, 2-0 contre la Belgique et 5-0 contre le Danemark…

10 DÉCEMBRE. – Avril ?

AVRIL. – Décembre ?

DÉCEMBRE. – Avril ?

AVRIL. – Oui, c'est moi.

DÉCEMBRE. – Vous êtes plus petite que ce que je pensais.

15 AVRIL. – Ah bon ?

DÉCEMBRE. – Non, enfin je veux dire…
(lui tendant un sac de femme)
Tenez.

AVRIL. – Merci.

20 *(elle saisit le sac de femme pour fouiller dedans)*
J'ai pas beaucoup d'espoir mais…

DÉCEMBRE. – Si, si.

AVRIL, *s'illuminant.* – Ah si ! Incroyable ! Il reste tout !

DÉCEMBRE. – Voilà.

25 AVRIL. – Merci.

DÉCEMBRE. – De rien.

AVRIL. – Il était dans le métro ?

DÉCEMBRE. – Ouais.

AVRIL. – Où ça ?

30 DÉCEMBRE. – … Sur le quai.

AVRIL. – Il manque l'argent, bien sûr.

DÉCEMBRE. – … Bon, bah bonne soirée.

AVRIL. – Attendez, euh… je peux vous offrir un verre ?
(tentant un trait d'humour)
35 Enfin sauf si je suis trop petite ou…

DÉCEMBRE. – Ah non, pas du tout.

AVRIL. – Non, mais si vous avez des trucs à faire…

DÉCEMBRE. – Non, non, je…

AVRIL. – Y'a un match, c'est ça ?

40 DÉCEMBRE. – Ouais, France-Yougoslavie, mais…

AVRIL, *ironique.* – Ah si, France-Yougoslavie, quand même.

DÉCEMBRE. – Non, non, mais c'est bon, on est déjà qualifiés.

LE PATRON. – Ces messieurs-dames mangeront ?

AVRIL. – Non.
45 *(regardant Décembre)*
Enfin, je sais pas, on va peut-être prendre un verre ?

DÉCEMBRE. – Euh… ouais.

LE PATRON. – Qu'est-ce que vous buvez ?

DÉCEMBRE, *s'asseyant.* – Un demi.

50 LE PATRON. – Un demi.

AVRIL. – Et une menthe à l'eau, pour moi. Merci.

LE PATRON. – … C'est un garçon ou une fille ?

AVRIL. – Pardon ?

LE PATRON. – « Une menthe à l'eau. »
55 Vous êtes enceinte ?
(se tournant vers Décembre)

C'est vous, le papa ?

DÉCEMBRE. – Euh…

AVRIL. – Non mais rien à voir !

60 *(à Décembre)*

Enfin c'est une histoire idiote : j'ai une amie qui est enceinte et par solidarité, j'ai promis que…

DÉCEMBRE. – Bon, bah je vais prendre un Coca.

AVRIL. – Non mais je veux pas vous forcer.

65 DÉCEMBRE. – J'adore le Coca.

LE PATRON, *s'éloignant.* – Un Coca et une menthe à l'eau.
Et pour l'enfant, ce sera pour plus tard.
(il s'éclipse)

DÉCEMBRE, *ironique.* – Voilà, comme ça c'est pas du tout gênant.

70 AVRIL. – Excusez-moi, ça fait longtemps que j'ai pas eu un rendez-vous, avec un homme…

DÉCEMBRE. – Ah ?

AVRIL. – Enfin c'est pas un rendez-vous !

DÉCEMBRE. – Non.

75 AVRIL. – Je veux dire…

DÉCEMBRE. – Non mais moi non plus. Moi aussi.
… Longtemps.

Un temps.

AVRIL. – Et donc, Décembre.

80 DÉCEMBRE. – Ouais.

AVRIL, *se montrant.* – … Avril.

DÉCEMBRE. – Ouais, je sais.

AVRIL. – Décembre, Avril…

DÉCEMBRE. – Ouais.

85 AVRIL. – C'est fou, la probabilité pour que…

DÉCEMBRE. – Ouais.

AVRIL. – Pardon, ça n'a aucun intérêt, c'est juste que j'adore les mathématiques.

DÉCEMBRE. – Les ?

90 AVRIL. – Mathématiques. Les chiffres, la logique. Vous avez des enfants ?

DÉCEMBRE. – Hein ?

AVRIL. – Pardon ! C'est pas sorti comme je voulais.

DÉCEMBRE. – J'ai pas d'enfants.

95 AVRIL. – D'accord.

DÉCEMBRE. – En fait, je me suis fait…

AVRIL. – Oui ?

DÉCEMBRE. – Non, mais non, rien. Et toi ? Vous ? Toi ?

AVRIL. – Moi ?

100 DÉCEMBRE. – Toi ?

AVRIL. – Quoi ?

DÉCEMBRE. – Des enfants ?

AVRIL. – Pas encore. Enfin, non, quoi.

Un temps.

105 DÉCEMBRE. – Et donc, les maths ?

AVRIL. – Vous êtes croyant ? Vous avez une croix, autour du cou.

DÉCEMBRE, *portant la main à sa croix.* – Ah, non, c'est parce que j'ai été élevé chez les…

AVRIL. – Les ?

110 DÉCEMBRE. – … Et toi ? T'es croyante ?

AVRIL. – Moi, à la base, je suis cartésienne[1].

DÉCEMBRE. – Pardon ?

AVRIL. – Rationaliste[2].

DÉCEMBRE. – Euh…

115 AVRIL. – Athée[3].

DÉCEMBRE. – Ah.

AVRIL. – Mais maintenant, je crois qu'il existe quelque chose.
Je ne sais pas quoi, mais quelque chose.
Le hasard. Le destin. La magie.

120 DÉCEMBRE, *sceptique*[4]. – La magie ?

AVRIL. – Non ?

Décembre fait une moue éloquente[5].

LE PATRON, *déposant les consommations.* – Un Coca et une menthe à l'eau.

125 AVRIL, *au patron.* – Monsieur, vous êtes doué pour les additions ?

---

1. Qui adhère à la démarche intellectuelle, rigoureuse et méthodique du philosophe français du XVIIe siècle René Descartes.
2. Qui croit en la raison, qui donne de la valeur à la logique scientifique.
3. Qui ne croit pas en l'existence de Dieu.
4. Qui doute.
5. Expression du visage qui trahit des doutes.

LE PATRON. – C'est un peu mon métier.

AVRIL. – Alors allez-y, calculez, dans vos têtes. Tous les deux.

DÉCEMBRE. – Moi, je suis pas doué.

AVRIL. – Je vais lentement.

130 Mille. Plus quarante. Plus mille. Plus trente.

DÉCEMBRE. – Attends, attends.

LE PATRON. – C'est facile.

DÉCEMBRE, *regard noir au patron.* – … OK.

AVRIL. – Plus mille. Plus vingt. Plus mille. Plus dix, égale ?

135 LE PATRON. – Cinq mille.

DÉCEMBRE. – Cinq mille.

AVRIL. – Quatre mille cent.

4090 + 10 = 4100

Le patron repart, désorienté.

140 DÉCEMBRE. – C'était quoi, ça ?

AVRIL. – Magie.

3.

14 juin 1871, Paris

Georges

LOUIS. – Catherine ? Catherine ?

CATHERINE. – Je suis dans la chambre ! Inutile de crier.

Un appartement bourgeois à Paris.

Un petit garçon de 10 ans, Georges.

5 *Son père, Louis. Sa mère, Catherine.*

LOUIS, *entrant.* – As-tu vu les bottes de Georges ?

CATHERINE. – Derrière le fauteuil ?

LOUIS. – Elles n'y sont pas ! J'ai déjà regardé !

CATHERINE. – Louis, chez qui allons-nous ?

10 LOUIS. – Chez un client, qui vient de breveter[1] un nouveau modèle de « lampe à incandescence[2] ». Moi non plus, je ne sais pas ce que c'est.

(fort)

Georges, où sont tes bottes ?

GEORGES, *entrant.* – Mais papa, je peux mettre mes souliers !

15 LOUIS. – J'ai dit que tu mettrais tes bottes. Tu mettras tes bottes.

GEORGES. – Des bottes, des bottes, toujours des bottes…

CATHERINE, *à Louis.* – Regarde sous le lit.

LOUIS, *trouvant les bottes sous le lit.* – Le pied est l'outil qui permet à l'homme de se tenir debout et d'avancer, Georges. Il faut le traiter en

20 conséquence.

GEORGES, *baissant la tête.* – Je préfère mes souliers.

Un temps. Louis et Catherine se regardent.

CATHERINE. – Georges, écoute cette histoire.

Au début du siècle, la reine de Hollande dansait beaucoup.

25 Tous les quinze jours, elle animait à la cour un bal somptueux.

---

1. Faire reconnaître officiellement son invention.
2. Lampe électrique.

Comme ses pieds la faisaient souffrir, elle demanda qu'on lui trouve un nouveau bottier[1]. Le meilleur !

On lui amena un jeune homme, d'origine modeste[2].

Il s'appelait Henricus Schuering.

30 Ce jeune homme fabriqua des bottes si admirables que la reine décida de le marier avec sa propre chambrière[3]. Une Française.

Ce fut un mariage heureux et ensemble, ils eurent trois enfants. Trois filles.

LOUIS. – L'aînée se nommait Catherine.

35 GEORGES. – Catherine ? Comme maman ?

CATHERINE. – Qu'il est intelligent.

À l'automne 1830, un incendie détruisit notre manufacture[4].

Plongé dans la ruine, Henricus, mon père, s'exila, s'installa à Paris avec sa famille et nous plaça, mes sœurs et moi, dans une usine à chaussures.

40 LOUIS. – Une usine à bottes.

GEORGES. – C'est dans cette usine que vous vous êtes rencontrés ?

CATHERINE. – Exactement. Ton père était artisan bottier.

LOUIS. – Georges, depuis que ta mère et moi sommes mariés, depuis que nous avons décidé de nous mettre à notre compte, il n'est pas passé

45 un jour de notre vie que nous n'ayons consacré à la botte.

CATHERINE. – … Mets tes bottes, Georges.

---

1. Fabricant et marchand de bottes.
2. Peu fortunée.
3. Femme de chambre, domestique.
4. Usine.

4.

14 juin 1871, Blois

Le prieuré[1]

L'HORLOGER. – C'est pour la réception ?

LOUIS. – Non, c'est pour une quête.

Évidemment que c'est pour la réception.

Ils entrent dans la réception.

5 *Foule. Cris, rires, champagne.*

CATHERINE. – Des millions de pieds parcourent inlassablement[2] la planète, Georges. Certains sont plus délicats que d'autres.

Nous sommes là pour les chausser.

LOUIS. – Aujourd'hui, nous avons soixante-quinze ouvriers, qui tra-

10 vaillent pour nous, dans notre immeuble du boulevard Saint-Martin.

Et un jour, cette usine sera à toi.

5.

19 juin 1984 21 h 02, Paris

But

Décembre s'est levé pour regarder le match.

LA TÉLÉ, *off*. – Et but de Sestic[3] ! But de Sestic ! Pour la Yougoslavie !

---

1. Nom de la maison de Robert-Houdin (voir note 1, p. 22).

2. Continuellement.

3. Joueur de l'équipe de Yougoslavie.

DÉCEMBRE, *avisant*[1] *la télé.* – Oh putain.

LA TÉLÉ, *off.* – Sestic qui ouvre le score à la 32e minute !

5 DÉCEMBRE. – Ah merde !

LA TÉLÉ, *off.* – Ah, ils ne vont rien lâcher ces Yougoslaves…

DÉCEMBRE. – Ils vont rien lâcher. Ils vont rien lâcher. Ça va, un but, ça va.

(il constate qu'Avril le regarde, silencieuse)

10 … Et sinon, tu fais quoi dans la vie ?

AVRIL. – Architecte.

DÉCEMBRE. – … d'intérieur ?

AVRIL. – Non, spécialisée en ingénierie[2].

DÉCEMBRE. – En quoi ?

15 AVRIL. – Je construis des coffres. Des coffres-forts. Des salles de coffres pour les banques.

DÉCEMBRE, *impressionné.* – Ah ouais.

AVRIL. – Et toi ?

DÉCEMBRE. – Moi ?

20 AVRIL. – Dans la vie ?

DÉCEMBRE. – Euh… je fais des trucs.

AVRIL. – T'as fait des études ?

DÉCEMBRE. – … Ouais. J'ai fait un CAP[3] mécanique.

---

1. Remarquant, découvrant.

2. Ensemble des fonctions qui jalonnent le processus de conception à la construction d'une installation industrielle, par exemple.

3. Certificat d'aptitude professionnelle. Diplôme professionnel.

AVRIL. – Un CAP mécanique.

25 DÉCEMBRE. – … C'est tout ce qui est mécanique.

AVRIL. – D'accord.

DÉCEMBRE. – Motos, voitures. Électricité… Mobylettes.

AVRIL. – D'accord.

DÉCEMBRE. – Voilà. Enfin, c'est pas ma passion.

30 AVRIL. – C'est quoi ta passion ? T'aimes le cinéma ?

DÉCEMBRE. – Ouais, j'aime bien les vieux films.

AVRIL. – Tu préfères le foot.

DÉCEMBRE. – Non, non…

AVRIL. – Ton père t'emmenait voir les matchs ?

35 DÉCEMBRE. – J'ai pas connu mon père.

AVRIL. – Ah pardon.

DÉCEMBRE. – Ni ma mère.

AVRIL. – Ah merde.

DÉCEMBRE. – En fait, j'ai grandi dans un orphelinat.

40 AVRIL. – D'accord.

DÉCEMBRE. – Catholique.

AVRIL. – Aïe.

DÉCEMBRE. – D'où la croix.

AVRIL. – OK.

45 DÉCEMBRE. – Mais sinon ça va, tout va bien.

Un ange passe.

AVRIL. – … Et donc, ta passion, c'est quoi ?

Décembre. – Quand j'étais môme, mon truc, c'était la magie.

Avril. – Non ?

50 Décembre. – Si. J'avais un bouquin de Robert-Houdin[1] que je connaissais par cœur. Un vieux bouquin, je l'ai lu peut-être cent fois.

Avril. – De qui ?

Décembre. – Robert-Houdin, tu connais pas ?

Avril. – Ah, Houdini[2] ?

55 Décembre. – Non, non, tout le monde confond. Houdini, c'est un Américain, qui s'est appelé comme ça en hommage à Robert-Houdin. Robert-Houdin, c'est un Français. Un génie. Avant lui, la magie, c'était des mecs avec des chapeaux pointus. Des bateleurs[3]. Des magiciens de rue. Lui, il a mis un costume, et il a amené la magie au théâtre.

60 Avril. – Un magicien.

Décembre. – Magicien, horloger, mécanicien, inventeur, aussi.

Avril. – Il a inventé quoi ?

Décembre. – Plein de trucs. Un réveil-briquet, une horloge invisible… une ampoule, à la fin de sa vie.

65 Avril. – Une ampoule ?

Décembre. – Une ampoule, ouais. Une ampoule à incandescence.

---

1. Jean-Eugène de son prénom. Le plus grand des illusionnistes français et constructeur d'automates (1805-1871).

2. Harry de son prénom. Célèbre illusionniste américain (1874-1926).

3. Artistes qui font des numéros d'adresse et de magie sur les places publiques ou dans les foires.

6.
14 juin 1871, Blois
Une ampoule à incandescence

Lumière éclatante.
Démonstration d'électricité : les ampoules à incandescence illuminent la scène.
Murmure d'admiration générale, applaudissements.

5 LOUIS. – Incroyable ! Cette lumière !

CATHERINE. – C'est de la magie !

LOUIS. – Il nous faudrait les mêmes au magasin !

CATHERINE. – Qu'est-ce que tu en penses, Georges ?
(elle ne le trouve pas)
10 Georges ? Georges ?

LOUIS. – Ne t'inquiète pas, il doit être au jardin.

7.
L'horloger

Georges n'est pas au jardin : il est à l'étage, dans un bureau.
Dans l'ombre est assis l'horloger. Il a 65 ans.

L'HORLOGER. – Certains pensent que la vie est un trait.
Mais la vie est un cercle, puisque nous tournons tous.
5 La vie est un éternel recommencement.
La seule question est de savoir quand notre tour arrivera.
(sans se retourner)
Entre, Georges. Approche.

GEORGES. – Comment savez-vous mon nom ?

10 L'HORLOGER. – Je sais beaucoup de choses.
(Georges s'approche)
Je sais faire apparaître une pièce, ou la faire disparaître.
(l'horloger effectue un petit tour de passe-passe[1]*)*
Je sais faire voler un enfant dans les airs, je sais créer la lumière.
15 Et je sais que tes parents t'ont prévu un destin qui ne t'enchante pas.

GEORGES. – Comment le savez-vous ?

L'HORLOGER. – Je me souviens d'un petit garçon à qui son père avait prévu un destin d'horloger. Son père était horloger, son grand-père était horloger. Jean, lui, aimait les automates.

20 GEORGES. – Les automates ?

8.

19 juin 1984, 21 h 15, Paris

Automates

AVRIL. – Les automates ?

DÉCEMBRE. – Ouais, les automates. C'est des robots, quoi, enfin c'est l'ancêtre du robot. Comme le Turc mécanique, ou le canard de Vaucanson…

5 AVRIL. – Le quoi ?

DÉCEMBRE. – Le canard de Vaucanson[2]. C'était un canard.

---

1. Tour de magie dans lequel un magicien fait disparaître un objet à la vue des spectateurs.
2. Automate en forme de canard inventé par Jacques de Vaucanson en 1738.

AVRIL. – Sans blague.

DÉCEMBRE. – Non mais un faux. Il pouvait se déplacer, tourner la tête, faire le cri du canard…

10 AVRIL. – Cancaner[1] ?

DÉCEMBRE. – Ouais. Et surtout il pouvait boire de l'eau, manger du grain, et chier de la fiente.

AVRIL. – … C'est très impressionnant.

DÉCEMBRE. – Attends, le type a créé mécaniquement un processus de

15 digestion !

AVRIL. – Et l'autre, là, le… ?

DÉCEMBRE. – Le Turc mécanique ?

AVRIL. – Oui.

DÉCEMBRE. – C'est un buste de Turc qui jouait aux échecs.

20 AVRIL. – … de Turc ?

DÉCEMBRE. – Ouais, un Turc, quoi. Moustache, sabre, turban. Un Turc.

AVRIL. – … qui jouait aux échecs.

DÉCEMBRE. – Il gagnait toutes ses parties.

25 AVRIL. – C'était quand, ça ?

DÉCEMBRE. – Au XVIIIe siècle.

AVRIL. – Au XVIIIe siècle ? C'est dingue !

DÉCEMBRE. – Ouais.
Mais les automates de Robert-Houdin, ils étaient encore plus dingues.

1. Faire le cri du canard.

9.
1825-1871, Blois
Jean

L'HORLOGER. – Le destin prend plusieurs apparences.
Dans une librairie, à Blois, en 1825.
Jean a alors 20 ans.

JEAN, *entrant dans la librairie.* – Bonsoir !

5 LA LIBRAIRE. – Un instant, je suis à vous !

L'HORLOGER. – Les croyants l'appellent Dieu, les sceptiques[1] l'appellent coïncidence, les Arabes l'appellent mektoub[2].

JEAN. – Je viens chercher mon traité d'horlogerie.

LA LIBRAIRE. – Oui, j'arrive !

10 L'HORLOGER. – Pour Jean, le destin prit d'abord la forme d'une libraire.

LA LIBRAIRE, *lui tendant un volume.* – Tenez, prenez ! À demain.

L'HORLOGER. – Peut-être était-elle fatiguée, ou pressée.

JEAN. – Combien vous dois-je ?

LA LIBRAIRE. – Demain, revenez demain !

15 L'HORLOGER. – Ce n'est que lorsqu'il arrive chez lui que Jean se rend compte de l'erreur : il a entre les mains un livre intitulé :
Tours de cartes et d'escamotage[3].
Il est trop tard pour retourner le rendre.
Il lit une page. Puis deux.
20 Puis le reste du livre.

---

1. Ici, ceux qui doutent de l'existence de Dieu.
2. En arabe, signifie « c'était écrit ».
3. Action de faire disparaître un objet par un tour de magie.

GEORGES. – Un livre de magie ?

L'HORLOGER. – Exactement. Dès le lendemain, Jean se met à l'apprentissage de ces tours. En moins d'un mois, il fait disparaître des pièces, des foulards, des balles.

25 *Jean fait disparaître un foulard.*

10.

19 juin 1984, 21 h 20, Paris

Passe-passe

DÉCEMBRE. – Bon tu vois la serviette ? Tu vois le verre ? Je pose la serviette sur le verre, je prends le verre…

Il fait disparaître le verre.

AVRIL, *épatée*. – Il est où ?

5 DÉCEMBRE. – Magie.

AVRIL. – Tu l'as mis où ?

DÉCEMBRE. – Tu veux que je t'apprenne ?

AVRIL. – Non, non, non, me dis pas le truc.

DÉCEMBRE. – C'est facile.

10 AVRIL. – Donc, t'es magicien ?

DÉCEMBRE. – Ouais, comme ça, pour déconner. Pour épater les filles.

AVRIL. – Par exemple, tu fais quoi ? Tu fais apparaître une colombe ?

DÉCEMBRE. – Non, ça c'est trop ringard.

Une flamme entre ses mains : il fait apparaître une rose rouge.

15 AVRIL. – J'adore !

(au serveur)
Monsieur, on peut avoir un verre d'eau ?

DÉCEMBRE, *montrant la rose.* – Non, mais c'est une fausse.

AVRIL. – Ah.

20 *Décembre s'allume une cigarette.*

DÉCEMBRE. – Tu veux une clope ?

AVRIL. – Non, merci. Je fume pas.

DÉCEMBRE. – Ah d'accord. T'es enceinte de combien, alors ?

AVRIL. – De trois mois. Comment tu le sais ?

25 DÉCEMBRE. – Je savais pas. Je plaisantais.

AVRIL, *découverte.* – Ah. Merde.

DÉCEMBRE. – … Mais t'es mariée ?

AVRIL. – Non !

DÉCEMBRE. – Ah.

30 AVRIL. – … Fiancée.

DÉCEMBRE. – Ah.
(Un temps gênant. Au serveur.)
On peut avoir un verre d'eau, s'il vous plaît ?

11.
23 juillet 1828, Tours
Ragoût[1]

L'HORLOGER. – La seconde fois que le destin se mêle de la vie de Jean, c'est sous la forme d'un ragoût.
À 23 ans, Jean vit et travaille à Tours chez un horloger. Le 23 juillet 1828, en revenant d'une fête de village, il est pris d'une grosse faim.

5 JEAN, *à la cantonade*[2]. – Marie ! Je termine le ragoût !

L'HORLOGER. – Il ne peut pas soupçonner alors les conséquences extraordinaires que va avoir sur son existence l'ingestion de ce ragoût.
Se serait-il couché le ventre vide, il aurait sûrement été toute sa vie un petit horloger de province.
10 Mais voilà, il dévore.
Or, dans la casserole, il y a un fond de vert-de-gris.
Sais-tu ce qu'est le vert-de-gris, Georges ?

GEORGES. – Un poison, découlant de l'oxydation du cuivre.

L'HORLOGER. – Qu'il est intelligent.
15 Jean tombe gravement malade. Et pendant quelques jours, il se retrouve entre la vie et la mort.
Dans son délire, il décide de rentrer chez ses parents.
Fiévreux, épuisé, il quitte son lit, et sort de la maison.
Il rentre dans une voiture publique, qui fait le trajet entre Tours et
20 Blois.
En chemin, il se penche à la fenêtre, pour mieux respirer.

---

1. Plat cuit lentement dans une sauce.
2. Parler haut et fort sans attendre de réponse particulière.

La voiture saute sur une pierre, la portière s'ouvre, Jean chute violemment sur la route. La voiture continue son chemin.

Jean se retrouve étendu, inerte.

25 GEORGES, *après un temps.* – … Il meurt ?

L'HORLOGER, *souriant.* – Presque.

Il reste inconscient pendant plusieurs heures sans même se rendre compte qu'il est transporté par des bras inconnus dans une chambre étrange.

30 Lorsqu'il se réveille, il croit entendre à travers les murs la voix d'un ténor[1] italien, rythmée par le pas des chevaux…

12.
1828-1871, Blois
L'escamoteur[2]

Dans la roulotte.
L'horloger devient l'escamoteur.

L'ESCAMOTEUR. – Si è svegliato! Miracolo! Santa Vergine! Antonia! E sveglio!

5 *[Il est réveillé ! Miracle ! Sainte Vierge, il est réveillé ! Antonia !]**

Les chevaux hennissent, la roulotte[3] s'arrête.

ANTONIA. – E sveglio?

[Il est réveillé ?]

1. Chanteur qui possède une voix forte et puissante.
2. Magicien.
* Les textes présentés en italique et entre crochets sont des traductions.
3. Sorte de remorque aménagée en logement tirée par un cheval.

L'ESCAMOTEUR. – Perche hai fermato la carrozza, siamo già in ritardo!
10 *[Mais pourquoi tu arrêtes la voiture, on est déjà en retard !]*

ANTONIA. – Ma se è stato lei ha dirmi di…
[Mais c'est vous qui m'avez dit de…]

L'ESCAMOTEUR. – Sono io che ti ho detto cosa?
[C'est moi qui t'ai dit quoi ?]

15 ANTONIA. – Si!

L'ESCAMOTEUR. – Ma sono io che ti ho detto cosa?

ANTONIA. – Si!

L'ESCAMOTEUR. – Muoviti, presto, non arriveremo mai prima di stasera!
[Démarre, démarre, on arrivera jamais avant ce soir]

20 *La roulotte démarre, l'escamoteur se tourne vers Jean.*

L'ESCAMOTEUR, *accent italien.* – Pardonnez-la, Antonia était persuadée que vous alliez mourir, même si je l'assurais du contraire.

JEAN, *très faible.* – Vous êtes italien ?

L'ESCAMOTEUR, *accent italien.* – N'essayez pas de parler, n'essayez pas de
25 vous lever, ne bougez pas, tous les os de votre corps sont brisés.
(Jean reste un instant sans bouger)
Je plaisante, vous n'avez rien, je vais vous aider.

L'escamoteur se penche vers Jean pour l'aider à se relever.

ANTONIA, *en italien.* – Stiamo per arrivare ad Angers!
30 *[Nous arrivons à Angers !]*

JEAN. – Angers ?

L'ESCAMOTEUR. – Angers, nous y donnons une représentation. Toussez.
(Jean tousse, il est pris d'un accès de douleur)
Ça fait mal, n'est-ce pas ? Ce doit être une côte fêlée, peut-être deux.

35 Les membres sont intacts, pas de brisure.

JEAN. – Vous êtes médecin ?

L'ESCAMOTEUR. – J'étais docteur, sì, dans une autre vie, heureusement pour vous.

13.
24 juillet 1828, Angers
Le petit théâtre ambulant[1]

L'ESCAMOTEUR. – Avanti, Antonia, avanti!
[Avance, Antonia, avance !]

Ils sont installés à Angers, sur une place publique.

Antonia fait avancer ses chevaux.

5 *L'escamoteur surveille les opérations, tandis que Jean observe, appuyé sur une canne.*

L'ESCAMOTEUR, *à Jean.* – C'est un procédé mécanique très simple : la roulotte est sur une sorte de rail, qui lui permet de doubler sa longueur lorsque nous sommes à l'arrêt, la transformant en un petit théâtre 10 ambulant.

JEAN. – Vous êtes magicien ?

L'ESCAMOTEUR. – Absolument. J'étais docteur, je suis devenu escamoteur. *(à la cantonade)*
Approchez messieurs-dames, approchez ! Le grand Torrini est dans 15 votre ville !

---

1. Qui se déplace d'un endroit à un autre.

14.
Représentation

L'escamoteur est en pleine représentation, dans sa roulotte.
Quelques spectateurs assistent à ses tours.
Antonia assure la claque[1].

ANTONIA. – Bravissimo!

5 L'ESCAMOTEUR. – Grazie mille! Mais ces tours, messieurs-dames, ne sont qu'un modeste échauffement.

À présent, je vais vous demander, monsieur, de me bander les yeux.

ANTONIA, *faisant tâter le bandeau.* – Toca, toca.

L'ESCAMOTEUR. – Allez-y, n'hésitez pas à vérifier l'étoffe, elle est bien 10 opaque[2] ?

LE MONSIEUR. – En effet.

L'ESCAMOTEUR. – Monsieur me bande les yeux, et voici un jeu de cartes. Monsieur, pouvez-vous affirmer que ce jeu est tout ce qu'il y a de plus régulier ?

15 LE MONSIEUR. – Tout à fait.

L'ESCAMOTEUR. – Battez les cartes, je vous prie. Savez-vous jouer au piquet[3] ?

LE MONSIEUR. – J'y joue régulièrement.

L'ESCAMOTEUR. – Parfait, laissez-moi distribuer, tout en vous annon-20 çant ce qui va se passer : je vais prédire votre jeu, et je vais vous battre, sans enlever mon bandeau.

Rires dans le public.

---

1. Ensemble de personnes payées pour applaudir et ainsi assurer le succès d'un spectacle.
2. Qui ne laisse pas passer la lumière.
3. Jeu de cartes.

15.
Recette[1]

ANTONIA. – Cento cinquanta, cento sessanta, cento settanta, cento sententuno!

[150… 160… 170… 171 !]

L'ESCAMOTEUR. – Cent soixante et onze. Pas mal, pour une première.
5 Demain, ils seront deux fois plus nombreux. Le spectacle vous a plu ?

JEAN. – Beaucoup. Vous êtes très habile.

L'ESCAMOTEUR. – Avez-vous compris certains tours ?

JEAN, *modeste*. – Quelques-uns.

L'ESCAMOTEUR. – Quelques-uns ? Mais pas le *coup de piquet à l'aveugle* !

10 JEAN. – Celui-là est très réussi.

L'ESCAMOTEUR. – C'est mon préféré.

JEAN. – Si j'ai bien compris, ce doit être juste avant de distribuer que vous substituez au jeu battu un autre jeu, préparé… À l'aide d'une petite mécanique de précision, peut-être, caché dans votre manche,
15 comme… celle-ci ?

Jean retire de sa poche le boîtier, qu'il tend à l'escamoteur, surpris. Antonia et l'escamoteur échangent un regard. Ils ne s'y attendaient pas.

L'ESCAMOTEUR. – Ce boîtier m'a été légué par un ami très cher – et tricheur, sur son lit de mort. J'en ai fait un usage moins lucratif[2], mais
20 moins dangereux. Comment avez-vous compris ?

---

1. Rentrée d'argent. Désigne aussi un procédé particulier qui permet à une opération de réussir.
2. Qui rapporte des bénéfices.

JEAN, *examinant l'objet.* – Au moment où vous éleviez la voix, j'ai entendu comme un petit couinement. La mécanique est fatiguée, il faudra la réparer. C'est l'affaire de deux jours, trois, tout au plus.

L'ESCAMOTEUR. – Seriez-vous mécanicien ?

25 JEAN. – Horloger.
(lui rendant l'objet)
Et apprenti escamoteur.

L'ESCAMOTEUR. – L'apprenti est déjà prometteur.

JEAN. – Cela vous dérangerait-il que je partage votre route ?

30 ANTONIA. – Incredibile. Ne sa una più del diavolo.
[Incroyable, ce petit diable a plus d'un tour dans son sac.]

16.

3 août 1828, route d'Angoulême

L'orage gronde

L'escamoteur, dans la roulotte, apprend quelques tours à Jean.

L'ESCAMOTEUR. – Lorsque tu fais choisir une carte et que tu la gardes à l'empalmage[1], bats le jeu discrètement.

JEAN. – Comme ça ?

5 *Jean fait passer artistiquement les cartes d'une main à l'autre.*

L'ESCAMOTEUR. – Non, pas de fioritures[2]. Jamais de fioritures, seulement le tour lui-même. Reste d'une grande simplicité, tu gagneras la

---

1. Lors d'un tour de magie, action de faire disparaître un objet dans la paume de la main qui paraît vide.
2. Artifice, ornement.

confiance du spectateur, flatteras son intelligence et il sera bien plus enclin[1] à ne rien voir venir.

10 *La roulotte se met à vibrer dangereusement.*

L'ESCAMOTEUR. – Antonia, stai bene?[2]

ANTONIA. – Ma porca di quella miseria![3]

La pluie tombe d'un coup, lourde.

Le tonnerre claque. Les chevaux hennissent et partent au galop dans une
15 *pente.*

JEAN. – Qu'est-ce qu'il se passe ?

L'ESCAMOTEUR. – Ce qui devait arriver : les chevaux s'emballent.
(en italien)
Frena, Antonia, frena![4]

20 ANTONIA. – Non posso!
[Je ne peux pas !]

L'ESCAMOTEUR. – Accrochez-vous quelque part, et priez.

JEAN. – Notre père qui êtes aux cieux[5]… *(les freins de la voiture lâchent)* AU SECOURS !

25 *La voiture dévale une pente.*

L'ESCAMOTEUR. – Saute, Antonia !

JEAN. – Mais ne lui dites pas de sauter !

L'ESCAMOTEUR, *à Jean.* – Accrochez-vous !

---

1. Prédisposé.
2. Antonia, tout va bien ?
3. Littéralement, « Mais porc de cette misère » (« On est dans la m*** »).
4. Freine, Antonia, freine !
5. Début du « Notre père » ou « Pater noster », prière chrétienne.

La voiture se renverse. Énorme choc. Les usagers sont jetés au sol.

Pénombre. Pluie, de plus en plus forte. Éclairs.

30 ANTONIA, *qu'on distingue à peine.* – Edmond ! Edmond !

JEAN. – Antonia, ça va ?

ANTONIA. – Si !

JEAN. – Vous êtes blessée ?

ANTONIA. – Sto bene, sto bene, ma dov'è il Conte?

35 *[Ça va, ça va, mais où est le comte ?!]*

JEAN. – Qui ça ?

ANTONIA, *fort accent italien.* – Torrini ! Où est-il ?

JEAN. – Je ne sais pas !

Coup de tonnerre, très proche.

40 ANTONIA. – EDMOND !

Éclairs et tonnerre envahissent la scène.

17.
Le grand souffleur.

L'escamoteur est allongé dans la roulotte. Il fait toujours nuit, mais la lumière a changé : ambiance aux bougies, un peu étrange. Jean regarde autour de lui, hébété.

L'ESCAMOTEUR. – Je suis fini. Dans cette vie-ci, je suis fini.

5 *(tentant de se lever)*

Jambe brisée, os fracturé, épaule démise.

Sans épaules, un magicien ne peut pas jouer.

(très sérieux soudain)
Je ne jouerai pas demain. Je me tuerai donc.

10 JEAN. – Qu'est-ce que vous dites ?

L'ESCAMOTEUR, *qui parle désormais sans accent.* – Je me tuerai, vous dis-je.
J'ai eu tellement de vies, mon petit Jean.
J'ai eu tellement de noms.

JEAN. – Votre accent.

15 L'ESCAMOTEUR. – Ton tour viendra.

JEAN. – Vous n'avez plus votre accent.

L'ESCAMOTEUR. – Ton tour viendra, Jean-Eugène Robert.

JEAN. – Comment savez-vous mon nom ?

L'orage gronde de plus en plus fort.

20 L'ESCAMOTEUR, *se levant.* – Je sais beaucoup de choses.
J'ai eu tellement de vies.

JEAN. – Ne vous levez pas !

L'ESCAMOTEUR. – J'ai proposé à Euripide[1] son Électre[2], je suis celui qui introduisit le jeune William[3] à la reine Elizabeth[4]…

25 JEAN. – Je suis en train de rêver.

L'ESCAMOTEUR. – Je suis une illusion, je suis un songe, je suis le Grand Souffleur, l'âme des saltimbanques[5].

---

1. Dramaturge grec de l'Antiquité, auteur de la trilogie tragique *L'Orestie* (Ve siècle avant Jésus-Christ).
2. Personnage éponyme de la tragédie d'Euripide. Fille du roi Agamemnon et sœur d'Iphigénie et d'Oreste.
3. William Shakespeare, célèbre poète et dramaturge anglais (1564-1616).
4. Élisabeth Ire, reine d'Angleterre et d'Irlande (1533-1603).
5. Artistes ambulants qui divertissaient la foule dans les foires ou sur les places publiques. Ils étaient jongleurs, comédiens, acrobates…

ANTONIA, *off.* – Signor Gianni!

JEAN. – Je suis en train de rêver.

30 *Le tonnerre gronde.*

L'ESCAMOTEUR. – Et demain je me tuerai, d'une balle dans le crâne.

Énorme coup de tonnerre.

ANTONIA. – SIGNOR GIANNI! SIGNOR GIANNI!

JEAN. – Antonia !

35 ANTONIA, *entrant.* – Où est Torrini ?

JEAN, *montrant l'escamoteur.* – Il est là !

L'escamoteur a disparu.

ANTONIA. – Il n'est pas dans la roulotte !
Oh mon Dieu, s'il s'est fait du mal, il ne pourra pas jouer, et s'il ne
40 peut pas jouer…
(Apercevant la fenêtre)
La finestra ! Il est passé par la *finestra !*
SIGNOR TORRINI!

Antonia bondit vers l'extérieur.

45 *Jean constate la fenêtre, enfoncée.*

JEAN, *sortant de sa torpeur*[1]. – Antonia ! Fais attention ! Il a la jambe brisée et s'est démis l'épaule !

ANTONIA. – SIGNOR TORRINI!

L'ESCAMOTEUR, *off, d'une voix plaintive.* – Antonia…

50 ANTONIA. – Non potrà esibirsi! Non potrà esibirsi!
[Il ne va pas pouvoir jouer !]

---

1. Sorte de somnolence, état de semi-conscience.

JEAN. – … Je vais le remplacer !

ANTONIA, *revenant.* – Pardon ?

JEAN. – À Angoulême, la représentation aura lieu ! Je vais le remplacer.

55 ANTONIA. – Va bene!

Coup de tonnerre. Éclairs.

18.

4 août 1828, Angoulême – 14 juin 1871, Blois
Première

ANTONIA, *à la cantonade.* – Approchez, approchez, mesdames et messieurs ! Aujourd'hui, pour la première fois, le grand Torrini se produit dans votre magnifique ville d'Angoulême !
C'est aujourd'hui, c'est cet après-midi, c'est ce soir !

5 *Jean se prépare, nerveux.*

L'escamoteur, reposant sur une béquille, regarde de loin, en souriant.

Puis, il redevient l'horloger.

L'HORLOGER, *à Georges.* – La première d'un artiste est une représentation qu'on garde en mémoire tout au long de sa vie.

10 ANTONIA. – Approchez, approchez, ne craignez rien !

L'HORLOGER. – L'angoisse vous étreint, les mots semblent ne plus pouvoir sortir, les jambes se dérobent, et puis le rideau s'ouvre et le public est là. C'est un état qui n'existe nulle part dans le monde, sinon sur scène. Un mélange d'extase[1] et de terreur, une *obscure clarté*[2].

---

1. État particulier dans lequel une personne se sent transportée hors d'elle-même, enchantement.
2. Expression oxymorique célèbre tirée du vers du dramaturge classique Corneille dans *Le Cid*.

15 GEORGES. – Avez-vous eu peur ?

L'HORLOGER. – … Qui te dit que c'est de moi qu'il s'agit ?

(Georges sourit)

Qu'il est malin, ce Georges.

LOUIS. – Georges !

20 L'HORLOGER, *à Georges.* – Ton tour viendra. Tu feras de belles choses.

LOUIS. – Georges ! Georges ! Où étais-tu ? On t'a cherché partout !

GEORGES. – J'étais avec le monsieur !

LOUIS. – Quel monsieur Georges ? Il n'y a personne autour de toi.

GEORGES, *découvrant qu'il est seul.* – Mais… Je…

25 LOUIS. – Trop d'imagination. Ce garçon a trop d'imagination.

CATHERINE, *prenant Georges par l'épaule.* – Viens mon Georges, il est déjà très tard.

Georges regarde autour de lui.

Il trouve un livre, le livre que lui a donné l'horloger.

30 *Il l'emporte avec lui et suit ses parents.*

19.
19 juin 1984, 21 h 29 Paris
Café

Décembre est devant la télé, dans le café, seul.

LA TÉLÉ, *off.* – Toujours 1-0. Toujours 1-0, pour la Yougoslavie.

Ce n'est pas le meilleur match de l'équipe de France jusqu'ici, loin de là…

Avril revient à table.

DÉCEMBRE. – Bon, je vais y aller, hein. Merci pour le verre.

AVRIL, *regardant le match.* – On perd ?

DÉCEMBRE. – Ouais. 1-0. C'est la vie.

AVRIL. – T'as pas fini ton histoire. Il devient magicien ?

DÉCEMBRE. – Qui ça ? Ah, Robert-Houdin ? … Non.

AVRIL. – Non ?

DÉCEMBRE. – Non. Il s'est marié. Il a eu des enfants. Sa femme l'a pas trop poussé à rester dans sa roulotte.

AVRIL. – C'est la faute de sa femme…

DÉCEMBRE. – Un peu. J'imagine.

AVRIL. – Et du coup, il est devenu… ?

DÉCEMBRE. – Horloger. Comme son père.

AVRIL. – Et quand est-ce qu'il est devenu magicien, alors ?

DÉCEMBRE. – Euh… Je sais plus. Des années plus tard. Bon. Salut.

AVRIL. – Tu me raconteras la prochaine fois ?

DÉCEMBRE, *partant.* – Voilà.

AVRIL. – Merci encore pour le sac. Tu vois, sans le destin, tu l'aurais pas trouvé, et moi j'aurais pas eu l'histoire de Robert-Houdin.

Il va pour partir. Il revient.

Il pose sur la table une montre, la montre d'Avril, qu'il vient de lui subtiliser.

AVRIL. – C'est ma montre ?

DÉCEMBRE. – J'ai pas trouvé ton sac, je te l'ai piqué.

C'est ça que je fais, je pique des sacs.

30 Y a pas de destin, y'a pas de magie.

Y a toujours un truc.

AVRIL. – Il y avait un cadeau, dans mon sac.

DÉCEMBRE. – … Ouais, je sais.

Avril fouille dans le sac que Décembre vient de lui ramener.

35 AVRIL. – Tu l'as pas ouvert ?

DÉCEMBRE. – Non.

Elle en sort un petit paquet cadeau, de la taille d'un livre.

AVRIL, *lui tendant le cadeau.* – Alors ouvre-le. C'est pour toi.

DÉCEMBRE. – Bon, écoute, je suis désolé, mais…

40 AVRIL, *doucement.* – Ouvre.

Il ouvre le cadeau.

Il s'agit d'un livre : « Une vie d'artiste », de Jean-Eugène Robert-Houdin.

Décembre reste pétrifié.

DÉCEMBRE, *très bas.* – … C'est une blague ?

45 AVRIL. – Non.

DÉCEMBRE. – C'est mon bouquin. De quand j'étais petit.

AVRIL. – Oui. Tu disais quoi, sur le destin ?

(montrant le match)

Je crois qu'on vient d'égaliser.

50 *Décembre ne parvient pas à quitter son livre des yeux.*

20.
20 juin 1984, Paris
Métro

Décembre et Gérard, son meilleur ami, sont dans le métro.

GÉRARD. – Oh, tu veux pas décrocher de ton bouquin ? C'est lourd, là.

DÉCEMBRE, *le nez dans le livre.* – Putain, c'est dingue. C'est dingue, cette fille. Elle est dingue.

5 GÉRARD, *en volant le porte-monnaie de sa voisine.* – Non. Non, ce qui est dingue mon gars, c'est le troisième match de poule, le premier triplé[1] de Platini[2] et la demi-finale au bout, ça c'est dingue ! De quelle fille tu parles ?

DÉCEMBRE. – Elle est pas que belle.

10 Je croyais qu'elle était que belle, mais en plus elle est brillante !

GÉRARD, *comptant l'argent du porte-monnaie.* – 100, 200, 300 balles. Qui ça ?

DÉCEMBRE. – La fille du métro, la fille du sac, Avril !

GÉRARD, *s'arrêtant.* – … De quoi tu parles ?

15 DÉCEMBRE. – La fille qui était jolie. Je l'ai appelée. Je lui ai rendu son sac.

GÉRARD. – T'as fait ça ?

DÉCEMBRE. – Ouais !

GÉRARD. – Mais t'es con ou quoi ? Elle t'a pas balancé ?

20 DÉCEMBRE. – Comment elle peut connaître Robert-Houdin ?

---

1. Exploit qui consiste à marquer trois buts dans le même match.
2. Célèbre footballeur français.

Gérard regarde Décembre fixement.

GÉRARD. – … Mais de quoi tu parles ?

21.

20 juin 1984, Paris

Bureau

Avril est au téléphone avec Louise, sa meilleure amie.

LOUISE. – Donc attends, laisse-moi être bien sûre que tu m'as dit ce que tu m'as dit : tu l'as suivi dans le métro, puis tu as fait exprès de laisser tomber ton sac devant lui ?

5 AVRIL, *triomphante.* – Et il m'a ramené mon sac !

LOUISE. – Oui, enfin sans l'argent, quand même.

AVRIL. – Mais sans ouvrir le cadeau !

LOUISE. – Bref. Tu as refusé d'aller avec moi à la cinémathèque[1] pour la rétrospective[2] Renoir[3], pour que cet homme, là, ce Septembre…

10 AVRIL. – Décembre.

LOUISE. – Oui enfin peu importe, pour que ce jeune criminel en puissance te parle de robots moustachus qui jouent aux échecs ?

AVRIL. – Pas des robots, des automates.

LOUISE. – Et bien sûr, tu lui as tout de suite dit que tu étais fiancée.

---

1. Lieu où sont conservées des œuvres cinématographiques pour leur intérêt et où elles sont présentées au public.
2. Présentation au public de l'ensemble des œuvres d'un cinéaste.
3. Jean de son prénom (1894-1979). Réalisateur et scénariste français, connu notamment pour son film *La Règle du jeu*, fils du peintre Auguste Renoir.

15 AVRIL. – Louise, calcule, dans ta tête : mille… plus quarante…

LOUISE. – Avril, réponds-moi.

AVRIL. – Plus mille…

LOUISE. – Avril !

AVRIL. – Plus trente…

20 LOUISE. – Avril !

22.
20 juin 1984, Paris
Métro

DÉCEMBRE, *sortant une photo de sa poche.* – Regarde. Elle est super mignonne.

GÉRARD. – Encore une shampouineuse[1] ?

DÉCEMBRE. – Architecte.

5 GÉRARD, *dubitatif*[2]. – Architecte ? Elle ?

DÉCEMBRE. – Spécialisée en ingénierie.

GÉRARD. – En quoi ?

DÉCEMBRE. – En ingénierie. Elle construit des coffres-forts.

GÉRARD. – Des quoi ?

10 DÉCEMBRE. – Des coffres-forts.

GÉRARD, *après un temps.* – … Elle ?

---

1. Terme péjoratif pour désigner une coiffeuse.
2. Qui doute.

DÉCEMBRE. – Pour les banques, les grosses banques.

… Elle va jamais me rappeler, c'est sûr.

23.
23 juin 1984, Paris
Téléphone

Le téléphone sonne.

Décembre décroche.

DÉCEMBRE. – Allô ?

AVRIL. – Décembre ?

5 DÉCEMBRE. – … Avril ?

AVRIL. – Tu fais quelque chose, ce soir ? Tu as une voiture ? Tu peux passer me prendre à 20 h ?

DÉCEMBRE. – Euh…

AVRIL. – T'as pas de voiture ?

10 DÉCEMBRE. – … Si, si, ouais.

AVRIL. – T'avais prévu de regarder le match ?

DÉCEMBRE. – … Non, non, pas du tout.

AVRIL. – T'es sûr ?

DÉCEMBRE. – Ouais, ouais.

15 *Gérard apparaît.*

GÉRARD. – Tu déconnes, là ?

DÉCEMBRE. – Je suis désolé, Gérard.

GÉRARD. – France-Portugal ! Demi-finale ! Championnat d'Europe des nations ! Platini à son meilleur niveau !

20 DÉCEMBRE. – On ira un autre jour !

GÉRARD. – C'est un championnat d'Europe, connard, c'est tous les quatre ans !

Louise apparaît.

LOUISE. – Tu plaisantes, là ?

25 AVRIL. – Je suis désolée, Louise.

LOUISE. – La rétrospective Renoir ?

AVRIL. – Il y a autre chose que le cinéma, dans la vie !

DÉCEMBRE. – Par contre du coup, euh, ta voiture…

GÉRARD. – Quoi, ma voiture ?

30 LOUISE. – Tu vas pas t'en servir ?

GÉRARD. – Tu déconnes, là ? !

LOUISE. – Tu veux lui faire visiter ta banque ?

GÉRARD. – Elle veut te faire visiter sa banque ?

DÉCEMBRE. – Un truc comme ça, j'ai pas tout compris, elle parlait très

35 vite.

AVRIL. – Je t'expliquerai. Alors, tu veux bien ?

DÉCEMBRE. – Bon, ta voiture, tu me la prêtes ou merde ?

GÉRARD. – Merde.

LOUISE, *soupirant.* – Et bien sûr, si François appelle, tu es avec moi,

40 c'est ça ?

24.
23 juin 1984, Paris, 20 h 24
France-Portugal

Un klaxon extrêmement sonore, qui pourrait être une corne de brume[1], *se fait entendre.*
Avril et Décembre sont dans la voiture de Gérard, à l'arrêt, dans les embouteillages.

5 DÉCEMBRE. – … C'est où, exactement ?

AVRIL. – Boulevard des Italiens. Vers Opéra.

On entend les rumeurs d'un café, sur leur droite.

Grosse explosion de joie.

Décembre allume la radio.

10 LA RADIO, *off*. – Et Jean-François Domergue[2] qui marque le premier but pour l'équipe de France, à la 24e minute, sur coup franc[3] ! En pleine lucarne[4] ! Manuel Bento n'a pas bougé ! Jean-François Domergue qui remplaçait Amoros[5], et la France qui mène 1 à 0 !

Décembre coupe la radio.

15 AVRIL. – On gagne, t'es pas content ?

DÉCEMBRE. – Il était pour qui, ce bouquin ?

AVRIL. – Pour toi.

DÉCEMBRE. – Non, mais sérieusement.

---

1. Instrument de signalisation pour les marins.
2. Footballeur français.
3. Tir au but depuis un point précis du terrain de football.
4. L'un des angles supérieurs d'un but de football.
5. Footballeur français.

AVRIL. – Pour toi.

20 DÉCEMBRE, *secouant la tête*. – Bon, OK, et tu l'as lu, ou… ?

AVRIL. – Non. Et pourquoi dans ton histoire, il s'appelle Robert, alors que tout le monde l'appelle Robert-Houdin ?

DÉCEMBRE. – … Parce qu'il épouse Cécile-Églantine Houdin en premières noces. Mais tu l'as pas lu ?

25 AVRIL. – Non. Et donc, pourquoi il devient magicien ?

DÉCEMBRE. – Je sais pas, ça lui a pris comme ça, quinze ans plus tard.

AVRIL. – Tu m'as dit qu'il construisait des horloges.

DÉCEMBRE. – Ouais, des horloges. Et des automates, surtout. Dans un petit atelier, à Belleville…

30 AVRIL. – Et pourquoi il devient magicien ?

DÉCEMBRE. – … Bon, OK, parce qu'il rencontre une autre femme, voilà !

AVRIL. – Jeune ?

DÉCEMBRE. – Forcément.

35 AVRIL. – Jolie ?

DÉCEMBRE. – J'en sais rien, j'étais pas là !

25.
17 mai 1844, Paris
Caviste

JEAN. – Margot ? Margot ?

Jean-Eugène Robert-Houdin a maintenant 38 ans. Margot, sa nouvelle femme, a 25 ans.

MARGOT. – Jean, je crois avoir compris ton tour d'hier. Tu fais disparaître le petit foulard avec un fil attaché à ton poignet, c'est ça ?

5 JEAN, *l'embrassant.* – Absolument pas.
(repartant)
Je passe à l'atelier.

MARGOT. – Tu reviens pour le dîner ?

JEAN. – Bien sûr, je ne serai pas long.

10 MARGOT. – Ah, pendant que j'y pense : peux-tu ramener du vin ?

JEAN. – Oui, mon amour.

MARGOT. – Mais ne va pas au caviste[1] d'hier, il était bouchonné[2].

JEAN. – D'accord.

MARGOT. – Va chez l'autre. Celui qui est à côté de la teinturerie.

15 JEAN. – Teinturerie.

MARGOT. – Non, pas de la teinturerie, de la boulangerie.

JEAN. – Boulangerie.

MARGOT. – Ou de la teinturerie ?

---

1. Marchand de vin.
2. Qui a un goût de bouchon.

20 JEAN. – Euh…

MARGOT. – Enfin tu sais, celui avec la devanture rouge…

JEAN. – Devanture rouge.

MARGOT. – … Dans la petite rue, là, dont j'ai oublié le nom ? Qui croise la grande artère ? Il y a des pavés.

25 JEAN. – … Je trouverai !

MARGOT. – Devanture rouge !

L'ANTIQUAIRE. – Jean-Eugène Robert-Houdin part à la recherche du caviste à la devanture rouge, et comme on peut l'imaginer, se perd dans les petites rues médiévales[1] d'un Paris qui n'a pas encore été réinventé
30 par le grand baron Haussmann[2]. Jean passe alors devant une boutique qu'il n'avait jamais remarquée.
Un antiquaire[3].
Il s'arrête devant la vitrine.
Quelques vieux meubles, quelques croûtes[4].
35 Et au milieu de ce capharnaüm[5]…

JEAN. – Non.

L'HORLOGER. – Il se frotte les yeux, il regarde mieux.

JEAN. – Impossible.

L'HORLOGER. – Il se dit que ce doit être une copie…
40 Il entre, n'osant toujours pas y croire.

---

1. Qui datent du Moyen Âge.
2. Préfet (1809-1891). Il a dirigé les grandes transformations urbaines et architecturales de Paris sous le second Empire.
3. Collectionneur, restaurateur et marchand de tableaux, de meubles, d'objets d'art anciens.
4. Terme péjoratif qui désigne des tableaux de mauvaise qualité.
5. Désordre.

26.
L'antiquaire

Jean entre dans la boutique.
L'horloger est devenu l'antiquaire.
JEAN, *à l'antiquaire.* – Excusez-moi…
L'ANTIQUAIRE. – Entrez, entrez, on peut voir et toucher sans acheter.
5 J'ai aussi des jouets, si vous avez des enfants.

JEAN. – Excusez-moi, l'automate, là, derrière l'armoire… C'est l'original ?

L'ANTIQUAIRE. – Il n'est pas à vendre.

JEAN, *s'approchant lentement.* – Je croyais qu'il avait brûlé, dans un
10 incendie…

L'ANTIQUAIRE. – Il n'est pas à vendre, vous dis-je, monsieur Robert-Houdin.

JEAN, *se retournant lentement vers l'antiquaire.* – Vous connaissez mon nom ?

15 L'ANTIQUAIRE. – Je connais vos automates.

JEAN, *montrant l'automate de l'antiquaire.* – Celui-ci est une merveille. Je peux vous en offrir dix mille francs.

L'ANTIQUAIRE, *soupirant.* – C'est une somme. Vous vous endetterez inutilement.

20 JEAN. – Comment le savez-vous ?

L'ANTIQUAIRE. – L'automate appartenait à mon père, et sans lui, il ne sert à rien.

JEAN. – À votre père ?

L'ANTIQUAIRE. – C'est une belle histoire, mais il faut du temps, pour
25 l'entendre. Avez-vous le temps ?

JEAN. – Bien sûr.

L'antiquaire invite Jean à s'asseoir sur une chaise.

L'ANTIQUAIRE. – L'histoire commence en 1776, dans la puissante République des Deux Nations, qui recouvrait l'Ukraine et la Pologne,
30 et qui venait d'être mise en pièces par la Russie impériale.
C'est dans la ville forte de Riga qu'une révolte éclata. Le chef des rebelles était un officier polonais nommé Worousky[1].
Il n'était ni grand, ni particulièrement robuste, mais ses qualités de stratège étaient telles que dans un premier temps, la révolte prit le dessus.
35 Puis, les Russes envoyèrent des renforts.
Pendant la bataille, Worousky reçut deux balles, une dans chaque jambe.
Il parvint néanmoins à se cacher dans un abri de fortune.
La nuit venue, en plein territoire impérial, il se traîna laborieusement[2] à
40 la recherche d'un médecin qui ne serait pas russe.
À bout de forces, il finit miraculeusement par frapper à la porte du docteur Johann Von Kempelen.
Von Kempelen était autrichien, médecin, mécanicien, et avant toutes choses, c'était un humaniste.
45 Il cacha donc le rebelle et diagnostiqua une gangrène[3] aux deux jambes.
Il dut l'amputer sur-le-champ.
Worousky resta plusieurs jours inconscient, oscillant entre vie et mort.
Puis, il se réveilla.

---

1. Personne ayant réellement existé.
2. Très difficilement.
3. Pathologie dans laquelle des tissus du corps meurent et pourrissent.

Le Polonais parlait mal le russe, l'Autrichien ne parlait pas le polonais,
50 les deux hommes avaient toutes les peines du monde à communiquer.
Worousky, méfiant de nature, ne fit rien pour arranger leur entente.
La perte de ses deux jambes le plongea dans une profonde dépression.
Il refusa de s'alimenter, et se dirigea vers une mort lente.
Mais un jour, Von Kempelen déposa entre eux un jeu d'échecs.
55 Worousky mit quelques minutes à apprendre les règles.
Il mit quelques heures à battre Von Kempelen.
Puis, il ne perdit plus jamais.
Von Kempelen était pourtant un joueur aguerri[1], mais Worousky gagnait systématiquement : ses aptitudes de stratège le rendaient quasi-
60 ment imbattable.
Il recommença à manger, reprit des forces, et c'est ainsi que naquit une amitié improbable entre un médecin autrichien et un rebelle polonais.
Les Russes, n'ayant toujours pas retrouvé le chef de la rébellion en déroute[2], multipliaient les perquisitions[3] dans la région. L'étau se resser-
65 rait[4]. Worousky, plusieurs fois, proposa à son hôte de se dénoncer, afin de ne pas le compromettre.
Von Kempelen refusa catégoriquement. Pour toute réponse, il construisit, en moins de trois mois, et dans le plus grand secret, son chef-d'œuvre : c'était un meuble bas, de taille moyenne, qui contenait une
70 mécanique complexe. Sur le meuble était posé un échiquier.
Worousky, découvrant l'ensemble, n'en comprit d'abord pas l'utilité.

1. Expérimenté, entraîné.
2. Ici, en fuite.
3. Contrôles policiers.
4. Métaphore qui signifie que le danger d'être retrouvé est de plus en plus grand.

Puis, Von Kempelen invita son ami sans jambes à prendre place dans le compartiment secret qu'il avait aménagé entre les faux circuits, et à endosser pour la première fois le costume du Turc mécanique.

75 *On place devant Worousky une table, sur la table un échiquier.*

On habille Worousky d'un costume, le transformant en Turc mécanique.

L'ANTIQUAIRE. – Les deux amis testent d'abord la supercherie[1] sur le voisin.

Battu à plates coutures[2], il crie immédiatement au miracle.

80 Un deuxième voisin joue, puis un troisième.

Tous perdent face au Turc mécanique. Von Kempelen peaufine son discours, Worousky travaille ses mouvements saccadés. Enfin, ils décident d'un itinéraire pour la fuite de l'insurgé[3], et s'arrêtent dans chaque ville du parcours pour présenter le Turc.

85 À Toula, à Kalouga, à Smolensk, il triomphe des meilleurs joueurs.

À mesure qu'ils se rapprochent de la frontière polonaise, le succès de l'entreprise dépasse leurs espérances. Les gens se battent, et paient pour pouvoir assister ou se mesurer au fabuleux joueur d'échecs.

En arrivant à Vitebsk[4], leur réputation est telle que l'impératrice 90 Catherine II de Russie en personne, ayant eu vent par les journaux du talent de l'automate, les invite à venir se produire à Saint-Pétersbourg.

Ils sont à quelques kilomètres de la liberté, ils peuvent fuir, disparaître, mais la tentation est trop forte de berner la grande Catherine…

Ils rebroussent chemin et se rendent à la cour de Russie.

---

1. Tromperie, ruse.
2. Sans appel.
3. Rebelle.
4. Ville de Biélorussie.

95 *Se mettent en place l'impératrice Catherine, Von Kempelen, la cour de Russie, et Worousky, dans son costume.*

L'ANTIQUAIRE. – L'insurgé Worousky fit face à sa pire ennemie, la mère de la nation, l'impératrice Catherine II de Russie, une redoutable joueuse d'échecs.
100 Sentant que la partie lui échappait, l'impératrice de toutes les Russies joua un coup interdit.
Toute la cour s'en rendit compte, mais personne ne dit rien.
Worousky saisit lentement la pièce, et la remit à sa place initiale.
Il fit mat[1] en onze coups.
105 Catherine, bonne perdante, félicita chaudement Von Kempelen pour sa merveilleuse invention.
Les deux hommes parcoururent pendant des années les plus grandes cours d'Europe, et s'enrichirent considérablement.
Lorsque Worousky prit sa retraite, il se maria, à une Française, et eut
110 plusieurs enfants, dont je suis l'aîné. Comprenez que sans mon père dans la machine, elle ne vous serait d'aucune utilité.

27.
17 mai 1844, Paris
Théâtre

Jean, revenu chez lui, vient de raconter l'histoire à sa femme.

JEAN. – Un cul-de-jatte[2] dans un costume, Margot !

L'ANTIQUAIRE. – Il y a une leçon à tirer de cette histoire.

---

1. Gagna.
2. Personne amputée des membres inférieurs ou qui ne peut pas s'en servir.

JEAN. – Laquelle ?

5 L'ANTIQUAIRE. – C'est qu'un magicien dans un automate rendra l'automate magique.

JEAN. – Les plus grandes cours d'Europe, Margot !
Un médecin autrichien et un cul-de-jatte polonais. Le médecin aurait passé toute sa vie dans cette petite ville, s'il n'avait pas rencontré ce cul-de-jatte !
10 Et le cul-de-jatte aurait sûrement été fusillé, s'il n'avait pas rencontré ce…

MARGOT. – … magicien.

JEAN, *souriant.* – Ils sont partis sur les routes. Ils ont fait fortune.
(soupirant)
Les plus grandes cours d'Europe…

15 MARGOT. – Lance-toi, Jean.

JEAN, *sortant de sa rêverie.* – Qu'est-ce que tu dis ?

MARGOT. – Tu n'as pas besoin de rencontrer un cul-de-jatte pour devenir un grand magicien.

JEAN. – Moi ? Tu veux que je devienne escamoteur ? Margot, j'ai 38 ans.

20 MARGOT. – Existe-t-il une limite d'âge ? Lorsque tu t'es marié, la première fois, tu as assumé tes responsabilités familiales, tu as rangé la vie d'artiste dans un coin de ta mémoire, et tu as construit des horloges pendant quinze ans. Mais aujourd'hui ta femme est morte, et moi je suis vivante. Et je ne te demande pas de construire des horloges. Je te
25 propose de partir à l'aventure.

JEAN. – La vie de bohème[1] te fait rêver, mais quand tu te retrouveras dans une roulotte, sous la pluie, à bateler[2] sur une place de village, crois-moi, tu regretteras ton Paris.

---

1. Vie d'artiste, nomade, qui vit souvent de façon modeste, au jour le jour.
2. Faire des petits spectacles de tours de magie, d'adresse.

MARGOT. – Oublie la roulotte. Achète un théâtre.

30 JEAN. – Un théâtre ?

MARGOT. – Pourquoi non ? « Mon » Paris ouvre chaque semaine de nouvelles salles !

JEAN, *qui commence à être tenté.* – Que leur jouerais-je ?

MARGOT. – Est-ce à moi de te le dire ? Un spectacle ! Ton spectacle !
35 Les tours que tu inventes, tous les jours, depuis quinze ans, associés aux automates que tu conçois, tous les jours, depuis quinze ans.

JEAN. – Malheureusement, je n'ai pas encore inventé le tour qui ferait apparaître suffisamment d'argent pour acheter un théâtre.

MARGOT. – Vendons l'atelier !

40 JEAN. – Si un artisan pouvait acheter un théâtre en vendant son atelier, nous n'aurions plus d'artisans à Paris depuis longtemps…

MARGOT. – Alors achète une boutique ! Un appartement ! Une cave !
Et fais-en un théâtre. Ce ne serait qu'un petit théâtre.
Mais ce serait *ton* théâtre.

45 JEAN, *commençant à y croire.* – Il faudrait tout reconstruire…

MARGOT. – Oui !

JEAN. – … les gradins, les lumières, la salle…

MARGOT. – Oui !

JEAN. – … installer des miroirs, des poulies[1], des câbles, des trappes
50 pour les disparitions ! Est-ce vraiment la vie que nous voulons, Margot ? La vie d'artiste ?

MARGOT, *souriant.* – Les plus grandes cours d'Europe, Jean.

---

1. Roues en métal sur lesquelles peuvent coulisser des cordes.

Jean. – … Un petit théâtre ?

Margot. – Un tout petit théâtre. Deux cents places, pas plus.

28.
23 juin 1984, 21 h 29, Paris
BNP

Avril et Décembre sont dans la banque, boulevard des Italiens.

Décembre. – On est où, là, exactement ?

Avril. – Au siège de la BNP.

Décembre. – Au siège de la BNP ?

5 Avril. – C'est mon lieu de travail.

Décembre. – Ah ouais.

La télé, *off*. – Et Chalana[1] qui centre, qui trouve la tête de Jordão[2], et Jordão qui marque ! Premier but portugais !

Manuel. – Oui ! Oui ! Égalisation !

10 Décembre. – Hein ? Quoi ? But ?

Manuel. – But ! De Jordão ! Un partout !

Avril. – Décembre, je te présente Manuel, le gardien. Manuel soutient le Portugal, c'est ça ?

Manuel. – PORTUGAL !

15 Décembre. – Ah, putain, un partout.

Manuel. – Un partout !

---

1. Footballeur portugais.
2. Footballeur portugais.

AVRIL. – Manuel, ça ne vous dérange pas qu'on visite le coffre ?

MANUEL. – Le coffre ou le sous-sol ?

AVRIL. – Non, non, juste le coffre.

20 MANUEL, *euphorique*[1]. – Oui, oui, allez-y ! But ! But !

DÉCEMBRE, *toujours sur le match.* – Ah, putain…

AVRIL. – Donc, je t'explique : on refait entièrement la salle des coffres. La démolition est finie, la construction commence demain.

Ils pénètrent dans la salle des coffres, lampes torches en main.

25 *Ils regardent autour d'eux, les murs sont à nu.*

DÉCEMBRE. – Ça sent mauvais…

AVRIL. – De quoi ?

DÉCEMBRE. – Non, mais le match.

AVRIL. – Ah. Donc, l'immeuble date des années 20. Sous le coffre, il y

30 avait une chape de béton[2], qu'on a fait sauter. Tu suis ?

DÉCEMBRE. – Ouais, ouais.

AVRIL. – Et sous la chape de béton, il y avait un plancher, antérieur à la construction de l'immeuble.

DÉCEMBRE, *essayant de raccrocher.* – D'accord.

35 AVRIL. – Dans un coin de la salle, on a trouvé une petite dalle de marbre. J'ai fait soulever la dalle. Il y avait un escalier en colimaçon[3]. L'escalier descend vers une salle qui n'est pas sur les plans.

DÉCEMBRE. – Pardon ?

AVRIL. – Et tu sais pourquoi j'ai fait soulever cette dalle ?

---

1. Extrêmement joyeux et excité à la fois.
2. Couche de matière imperméable pour empêcher les infiltrations d'eau.
3. Qui tourne à la façon d'une coquille d'escargot.

40 Parce que sur le mur, il y avait cette inscription…

La torche d'Avril découvre effectivement une inscription, au mur :

« Théâtre Robert-Houdin.

Entrée du public »

DÉCEMBRE, *sidéré*[1]. – Oh putain. On peut visiter ?

45 AVRIL. – Non, c'est pas sécurisé et c'est Manuel qui garde les clés.

DÉCEMBRE, *sortant un trousseau de sa poche.* – … Tu parles de ces clés-là ?

29.

1844-1984, Paris

Crypte[2]

L'antiquaire fait visiter le lieu à Jean.

L'ANTIQUAIRE. – C'est une ancienne crypte, construite à la fin du XVIe siècle par les Bourbon-Montpensier[3].

JEAN. – Elle est très profonde.

5 DÉCEMBRE. – C'est profond, non ?

AVRIL. – Très. On est les premiers à pénétrer ici depuis que l'immeuble a été rasé.

DÉCEMBRE. – Ah, donc, le bouquin, tu l'as acheté parce que t'as vu l'inscription ?

---

1. Sous le choc.
2. Caveau souterrain, souvent construit sous une église.
3. Famille noble de la dynastie des Capétiens, ayant vraiment existé.

10 L'ANTIQUAIRE. – Entre sa construction et la chute de la monarchie, cette cave a abrité de nombreuses messes noires[1] et autres satanismes[2]. Voilà pourquoi personne n'en veut.

JEAN. – C'est sombre.

DÉCEMBRE. – C'est sombre.

15 AVRIL. – Évidemment, c'est une cave.

L'ANTIQUAIRE. – Mais le prix est bas.

JEAN. – Il y aura beaucoup de travaux à faire.

L'ANTIQUAIRE, *minimisant*. – Un peu de ravalement…

JEAN. – Cela prendra du temps… Un an, peut-être.

20 L'ANTIQUAIRE. – Huit mois, tout au plus.

JEAN. – Mais quel meilleur endroit pour un sorcier qu'un lieu de sorcellerie ?

L'ANTIQUAIRE, *souriant* … Alors ? Vous la prenez ?

Robert-Houdin réfléchit un moment. Puis, il dit :

25 JEAN. – Mesdames et messieurs, merci d'avoir pris place dans cette salle.

30.
1845, Théâtre Robert-Houdin, Paris
Soirée fantastique

C'est la première « soirée fantastique » de Robert-Houdin. On assiste à plusieurs de ses tours.

1. Parodie de cérémonies chrétiennes qui célèbrent le diable.
2. Sorcelleries liées au culte de Satan, le diable.

Il fait apparaître des foulards, un bouquet de fleurs…
Il fait voler une canne, léviter[1] *Margot, puis la fait disparaître.*
5 *Il disparaît à son tour, dans un nuage de fumée…*

31.
23 juin 1984, 21 h 40, Paris
Théâtre Robert-Houdin

La fumée se dissipe, on découvre Décembre et Avril dans la cave.
DÉCEMBRE. – Je suis déçu. Franchement, je suis déçu.

AVRIL. – Tu t'attendais à quoi ? Un spectacle de magie ?

DÉCEMBRE. – Non, je sais pas, qu'on retrouve des automates !
5 Mais c'est une cave. C'est juste une cave.

AVRIL. – Cent ans plus tard, évidemment. Ça doit être un obus, pendant la guerre… L'entrée s'est retrouvée bouchée.

DÉCEMBRE. – Faut que tu t'imagines que c'était plein, tous les soirs ! Le mec jouait à guichet fermé[2]. Il embauchait huit musiciens. Il était
10 connu dans le monde entier.
Il a même été envoyé en Algérie, pour prouver aux populations indigènes[3] que la magie française était la plus puissante du monde.

AVRIL. – … Sympa. Il est mort quand ?

DÉCEMBRE. – En… 1870, je crois. Tiens, regarde !
15 *(il pointe une inscription de sa lampe)*

---

1. S'élever dans les airs.
2. Faisait salle comble, tous les billets d'entrée étant vendus bien avant le spectacle.
3. Locales, ici.

« Robert-Houdin, 1805-1871 »

AVRIL. – Et après, le théâtre a fermé ?

DÉCEMBRE. – Non, non, il a été repris.

Je sais plus par qui, mais il a été repris.

32.
1883, Paris
Georges

LE PEINTRE. – Je n'ai qu'une seule question à te poser, Georges : pourquoi veux-tu peindre ?

Le petit Georges a grandi, il a 22 ans.

Le peintre n'est autre que l'horloger.

5 *Il tient à la main un pinceau, et fait face à la toile.*

GEORGES. – Je ne sais pas, exactement. Tout ce que je sais, c'est que je ne suis pas fait pour faire des bottes.

LE PEINTRE. – Qu'en pense ton père ?

GEORGES. – Je travaille à mi-temps à la fabrique, je répare les machines,

10 parfois. Le reste ne l'intéresse pas.

LE PEINTRE. – … Il paraît que tu es très habile de tes mains.

GEORGES. – J'aime bien la mécanique, oui. Mais pas autant que la peinture.

LE PEINTRE. – Alors pourquoi pas les Beaux-Arts[1] ?

---

1. Célèbre école supérieure parisienne d'enseignement des arts.

15 Georges, *après un temps.* – Mon père s'y oppose. J'ai tant de choses à exprimer, voyez-vous, et je suis intimement persuadé qu'on exprime infiniment plus avec une image qu'avec des mots.

Le peintre, *après un temps.* – … Suzanne !

Entre Suzanne. Elle a 17 ans.

20 Le peintre. – Suzanne, voici Georges, il va prendre quelques leçons de peinture. Georges, voici Suzanne, c'est la fille de mes gardiens.
Je voudrais que tu commences par peindre son portrait.
Est-ce que cela te convient, Georges ?
… Georges ?

33.
Suzanne

Suzanne et Georges sont seuls à l'atelier.

Suzanne. – Monsieur Georges, ce n'est pas sérieux !

Georges. – Suzanne, le monde est déjà tellement sérieux, pourquoi devrions-nous l'être aussi ? Tu n'aimes pas mes baisers ?

5 Suzanne. – Si, mais…

Georges, *la prenant par la taille.* – Tu n'as pas confiance en moi ?

Suzanne. – Si, mais Monsieur Georges…

Georges. – Et puis cesse de m'appeler Monsieur !

Suzanne. – D'accord. Mais Monsieur Georges, vous êtes issu d'une
10 grande famille, et…

Georges, *ironique.* – Une grande famille de cordonniers !

SUZANNE. – Et moi, je ne suis qu'une fille de gardiens…

GEORGES. – Pas du tout, puisque tu veux être actrice !

SUZANNE. – Ce n'est pas sérieux, ce n'est pas sérieux…

15 GEORGES. – Je suis très sérieux, moi ! Et si c'est le mariage que tu veux…

SUZANNE. – Mais non !

GEORGES. – … Je te le demande solennellement : Suzanne, veux-tu être ma femme ?

SUZANNE, *un temps émue, puis secouant la tête.* – Monsieur Georges,
20 vous êtes trop gentil. Et votre père ne voudra jamais.

GEORGES. – Mon père a un cœur, Suzanne. Je vais lui dire que je suis amoureux de mon modèle, amoureux d'une future grande actrice, une Sarah Bernhardt[1] en herbe[2], une Ophélie[3], une Marianne[4], une Juliette[5] ! Comment pourrait-il refuser ?

34.
1884, Paris
Une fille de concierge

LOUIS. – Une fille de concierge ? Tu te moques de nous ? Georges !

CATHERINE. – Georges, réponds quand ton père te parle.

LOUIS. – Georges, moi vivant, tu n'épouseras pas cette fille !

---

1. Célèbre comédienne française (1844-1923).
2. Jeune.
3. Personnage tragique de la pièce *Hamlet* de William Shakespeare.
4. Personnage de la pièce romantique *Les Caprices de Marianne* d'Alfred de Musset.
5. Personnage tragique de la pièce *Roméo et Juliette* de William Shakespeare.

CATHERINE. – Enfin, mais réponds !

5 LOUIS *à Catherine.* – Très bien, envoyons-le en Angleterre, travailler. Vendre de la chaussure. Il l'oubliera, Catherine.

GEORGES. – En Angleterre ?

Louis met dans les mains de Georges une valise.

LOUIS. – Un an, deux ans, trois, s'il le faut, mais il l'oubliera !

10 CATHERINE. – … En Angleterre ?

LOUIS. – En Angleterre !

35.
1884, Londres
Angleterre

Georges vient de débarquer du ferry[1].

WILLIAM, *fort accent anglais.* – Mister Georges! Mister Georges! I'm William, William Higgins. I work for your parents. But call me William, everyone calls me William.
5 Is that all your luggage?

[Je suis William, William Higgins. Je travaille pour vos parents. Mais appelez-moi William, tout le monde m'appelle William. Ce sont là tous vos bagages ?]

GEORGES. – Euh… what? Comment ?

1. Bateau, dont la fonction est de transporter les véhicules et passagers, qui assure la traversée entre la France et l'Angleterre.

10 WILLIAM, *montrant sa valise.* – Your luggage, emm… your « bagage ».

GEORGES. – Ah, yes, oui, oui !

WILLIAM, *saisissant sa valise et détachant bien les mots.* – We are lucky it's not raining!

[Heureusement qu'il ne pleut pas !]

15 GEORGES. – What?

WILLIAM. – Raining!

GEORGES. – Ah, raining, yes. Lucky.

[Ah, la pluie, oui. Heureusement.]

Grondement du ciel.

20 *La pluie se met à tomber.*

WILLIAM, *enthousiaste.* – Well, welcome to London.

[Bon, eh bien, bienvenue à Londres.]

36.
1884, Londres
Boutique

LA CLIENTE, *en colère.* – Who on Earth sent me this first class fool?

[Qui m'a envoyé cet imbécile ?]

GEORGES, *fort accent français.* – I beg your pardon, madame?

[Pardon, madame ?]

5 WILLIAM. – Is there anything he did wrong?

[A-t-il fait quelque chose de mal ?]

La cliente. – Is there anything he did right? I ask him for French high heel shoes, he brings me Italian low heel shoes!

[A-t-il fait quelque chose de bien ? Je lui demande des hauts talons français, il m'apporte des talons plats italiens !]

10

Georges. – I am sorry.

[Désolé.]

William. – I'm very sorry madam, he is new to the shop…

[Je suis désolé, madame, il est nouveau au magasin…]

15 La cliente. – New to the world, he is.

[Il est nouveau tout court, oui.]

William, *emmenant la cliente avec lui.* – Let me help you with what you need.

[Laissez-moi vous aider.]

20 Georges, ironically, you're no good with shoes.
So you're going to sell woman's lingerie.

[Georges, non sans ironie, tu n'es pas doué avec les chaussures.
Tu vas donc vendre de la lingerie féminine.]

Georges. – What?

25 William. – De la lingerie, des corsets[1].

Georges. – De la lingerie ? Moi ?

William. – Oui. And please tell them you're French, first.
(repartant)
Then, the women won't care if you can't speak a word of English.

30

[Et par pitié, commence par leur dire que tu es français.
Ensuite, les clientes se ficheront que tu ne parles pas un mot d'anglais.]

---

1. Pièce de lingerie féminine qui resserrait la taille, soutenait la poitrine et auquel on attachait les bas.

Are you coming to the pub with us, Georges?
[Tu viens au pub avec nous, Georges ?]

GEORGES. – No, thank you, William.
35 I have to write to my fiancée.
[Non merci, William. Je dois écrire à ma fiancée.]

WILLIAM. – Well, good writing, then!

37.
Love letters

GEORGES. – « Suzanne, mon amour, ici, il pleut tout le temps. Tu me manques terriblement. Je me languis de ta peau[1], de ton sourire, de tes caresses, du son de ta voix. »

SUZANNE. – « Monsieur Georges… »

5 GEORGES. – « Je m'efforce d'être le plus mauvais vendeur possible pour perdre mon emploi et te retrouver bientôt. »

SUZANNE. – « Monsieur Georges… »

GEORGES. – « J'ai tellement hâte de te retrouver. Je t'emmènerai au théâtre, je te couvrirai de baisers et puis je t'épouserai. »

10 SUZANNE. – « Georges !
J'ai bien reçu tes nombreuses lettres.
À moi, aussi, tu me manques. Beaucoup.
Mais ton père est venu me voir. Il m'a parlé. Il m'a convaincue. Je ne suis pas faite pour appartenir à ton monde. »

1. Ta peau me manque.

15 Georges. – « Suzanne, n'écoute pas mon père, j'ai décidé de me passer de son autorisation. Je t'épouserai, Suzanne, nous nous marierons et nous serons heureux. »

Suzanne. – « Georges, j'ai rencontré quelqu'un.
Il s'appelle Lucien. Il entre à l'École des mines[1], il a mon âge.
20 Lui aussi veut m'épouser.
… S'il te plaît, ne m'écris plus. »

38.
1885, Londres
Pub

Au pub[2].
William. – *Another beer for my friend, here!*
Cheer up, mate. You know what they say in French:
« Une de perdue, dix tu retrouves… »
5 *(pas de réaction)*
You know, l'homme, par dépit amoureux, a fait les plus belles choses du monde. Look at Shakespeare!

Georges. – Yes, but Shakespeare[3], c'était un genius.

William. – Moi, je fais de la photographie. You know photography?

10 Georges. – Yes, yes, I know.

William. – *I'll show you my atelier, some day.*
Allez viens, on va se changer les idées.

---

1. Célèbre école d'enseignement supérieur qui forme de futurs ingénieurs.
2. Bar anglais.
3. William de son prénom. Célèbre poète et dramaturge anglais (1564-1616).

(il le prend par les bras)

Do you like magic? La magie ?

15 GEORGES. – La magie ?

WILLIAM. – Magic ! Tu n'as jamais vu un magic show ?

Un spectacle de la magie ? *(Georges secoue la tête)*

Never? Come on, let's go!

39.

1886, Paris

Grenier

CATHERINE. – Georges ?

Georges, seul, face public, un jeu de cartes à la main.

Il habite le grenier de l'immeuble du boulevard Saint-Martin.

CATHERINE, *entrant.* – Georges ?

5 GEORGES. – Ah, mère, vous tombez bien. Pensez à une carte.

CATHERINE. – Georges, tu n'es pas descendu depuis hier…

GEORGES. – La dame de cœur ? Très bien.

CATHERINE. – Depuis la mort de ton père, c'est à peine si tu sors de ton grenier.

10 *Georges fait apparaître la dame de cœur de son jeu de cartes.*

GEORGES. – Un autre tour ?

CATHERINE. – Et ces tours ! C'est tout ce que tu as ramené de Londres, ce stupide jeu de cartes.

Georges. – N'êtes-vous pas satisfaite ? Suzanne m'a quitté, je répare les
15 machines, et j'habite avec vous. Que puis-je faire de plus, mère ?

Catherine. – Grandis, Georges, grandis un peu !
Sors, reprends la fabrique, fais ce que tu veux mais fais quelque chose !
Elle sort.

Georges reste seul, au milieu du grenier.

20 *Et les aiguilles du temps passent à 1887, puis à…*

40.
1888
L'antiquaire

Georges a désormais 27 ans, lorsqu'il pénètre à son tour chez l'antiquaire.
L'antiquaire. – Entrez ! Entrez, Monsieur ! On peut voir et toucher sans acheter.

Georges, *s'avançant dans la boutique.* – Dites-moi, l'automate, là-bas,
5 c'est…

L'antiquaire. – L'original, oui, mais il n'est pas à vendre, Georges.
(Georges regarde l'antiquaire, étonné)
Je vous ai vu vous produire, l'autre soir, au Chat Noir[1]. Vous faites de la magie.

10 Georges. – … En amateur, seulement. J'ai beaucoup de temps libre.

L'antiquaire. – Le temps est une denrée[2] rare.

---

1. Célèbre cabaret parisien situé à Montmartre.
2. Marchandise.

GEORGES. – Mon père faisait des chaussures, mon grand-père faisait des chaussures…

L'ANTIQUAIRE. – … Et vous, de la magie.

15 GEORGES, *soupirant*. – Et de la peinture. Et de la photographie.

L'ANTIQUAIRE. – Eh bien ! Est-ce tout ?

GEORGES. – Non, je compose des vers très pauvres et de la musique très mauvaise… Je n'ai eu qu'un seul succès, je suis parvenu à hériter.

L'ANTIQUAIRE. – Ton tour viendra, Georges.

20 GEORGES. – Que dites-vous ?

L'ANTIQUAIRE. – Je dois fermer la boutique un moment. J'ai une livraison pour le théâtre.

GEORGES. – Le théâtre ? Quel théâtre ?

L'ANTIQUAIRE. – Juste en dessous, une curiosité, une ancienne crypte,

25 construite à la fin du XVIe siècle… Voulez-vous m'accompagner ?

GEORGES. – Merci, mais je devrais déjà être chez moi.

L'ANTIQUAIRE, *sans l'entendre*. – Oui, il est un peu à l'abandon, d'ailleurs, depuis le décès de son propriétaire, monsieur Robert-Houdin. Allons, bonsoir.

30 GEORGES. – Attendez ! Pardon ? Qui ?

41.
Théâtre Robert-Houdin

L'antiquaire pénètre dans le théâtre, suivi de Georges, qui porte une caisse.

L'ANTIQUAIRE. – Mes amis, voici un apprenti magicien, qui m'a aidé à porter mes cartons !
(à Georges)
5 Vous n'avez qu'à poser ça ici ! Merci encore.

GEORGES, *découvrant la salle.* – Mais… c'est une cave ?

L'ANTIQUAIRE. – Tout à fait. Voulez-vous que je vous présente la troupe ?

GEORGES. – C'est-à-dire que…

10 L'ANTIQUAIRE, *sans attendre.* – Voici Marius, régisseur et comique.

GEORGES. – Enchanté…

MARIUS. – Marius !

L'ANTIQUAIRE. – Trouillet, pianiste…

GEORGES. – Enchanté !

15 L'ANTIQUAIRE. – Madame Gabrielle, caissière…

GEORGES, *tendant la main qu'elle ne saisit pas.* – Enchanté.

L'ANTIQUAIRE. – Ah. Et voici notre jeune première[1], spécialisée dans les escamotages : Suzanne.

Georges se retourne. C'est Suzanne, 23 ans, plus jolie que jamais.

20 SUZANNE. – … Monsieur Georges.

GEORGES. – Suzanne.

L'ANTIQUAIRE. – Ai-je mentionné que le théâtre était à vendre ?

---

1. Comédienne qui joue le rôle principal de l'amoureuse.

42.
23 juin 1984, 21 h 47
Georges

DÉCEMBRE. – Georges.
Pointant sa lampe. – Le dernier directeur s'appelle Georges.
C'est marqué là.

43.
1889
Coffre-fort

Un an plus tard.
MARIUS. – Monsieur le directeur ! Monsieur le directeur !
GEORGES. – Ah, Marius. On entendait beaucoup trop la machinerie.
Il faudra que Trouillet tape plus fort sur le piano !
(il donne son veston à Suzanne) Merci Suzanne.
MARIUS. – Je lui dirai, mais…
GEORGES. – Comment avancent les travaux ?
MARIUS. – Bien, bien. Mais…
GEORGES. – Et le public ? Madame Gabrielle, combien étaient-ils, hier ?
Trente ?
MADAME GABRIELLE. – Dix-huit.
GEORGES. – Dix-huit. Sur une salle de… ?
MADAME GABRIELLE. – Deux cents.

GEORGES, *stoïque*[1]. – Deux cents.

15 MARIUS, *minimisant.* – Cent quatre-vingt-dix. Monsieur le directeur, on a trouvé quelque chose. Caché derrière une applique[2].

GEORGES. – Quoi donc ?

MARIUS. – Un coffre.

GEORGES. – Un coffre ?

20 MARIUS. – Un coffre-fort.

GEORGES. – Vous l'avez ouvert ?

MARIUS. – Oui, non, pas vraiment. Venez voir.
Y'a un quelque chose marqué dessus, c'est…

MADAME GABRIELLE. – « Quand Vaucanson fit un canard ».

25 MARIUS. – Voilà.

GEORGES, *lisant.* – « Quand Vaucanson fit un canard ».
Ce doit être le code du coffre.

MARIUS. – Oui, mais le coffre, c'est des chiffres, qu'il faut.

GEORGES. – C'est une énigme.
30 Jacques de Vaucanson était horloger.
Il avait construit un automate extraordinaire, un canard mécanique, qui pouvait cancaner, nager, manger, boire, et…

MADAME GABRIELLE. – Et ?

GEORGES, *cherchant le mot adéquat.* – … digérer.

35 SUZANNE. – En quelle année était-ce ?

GEORGES. – En 1738, c'était en 1738. 1, 7, 3, 8, Marius.

---

1. Inexpressif, sans émotion apparente.
2. Appareil d'éclairage.

MARIUS. – 1, 7, 3, 8.

MADAME GABRIELLE. – En 1738 ?

GEORGES. – Il y avait un truc, bien sûr.

40 MARIUS. – Ça fonctionne !

Marius sort du coffre une boîte de taille moyenne.

MADAME GABRIELLE, *circonspecte*[1]. – Une boîte.

GEORGES, *lisant*. – « La vie est un cercle. »

SUZANNE, *lisant*. – « Par Jean-Eugène Robert-Houdin. »

45 GEORGES. – C'est un signe. Le public reviendra, Madame Gabrielle. Nous allons faire revivre ce théâtre.

Georges ouvre la boîte.

MADAME GABRIELLE. – Qu'est-ce que c'est ?

MARIUS. – C'est un cylindre de cire.

50 GEORGES, *ouvrant de grands yeux*. – Trouvez-moi un phonographe[2].

MARIUS. – Un quoi ?

GEORGES. – Il y a là-dessus la voix de Robert-Houdin. Trouvez-moi un phonographe !

---

1. Mesurée.
2. Appareil qui enregistre et reproduit les sons et les voix.

44.
23 juin 1984, 21 h 49
Coffre-fort

DÉCEMBRE. – Il y a un coffre, ici.

AVRIL. – … Quoi ?

DÉCEMBRE, *passant sa lampe sur le mur.* – Il est caché derrière un trompe-l'œil[1], il est incrusté dans le mur, mais il y a un coffre.

5 AVRIL. – Il y a un coffre dans le coffre !

DÉCEMBRE, *sentant monter l'excitation.* – C'est ta spécialité, non ?

AVRIL. – Oui.

DÉCEMBRE. – Tu peux l'ouvrir ?

AVRIL. – Bien sûr.

10 DÉCEMBRE. – En combien de temps ?

AVRIL. – En moins de cinq minutes.

DÉCEMBRE. – Sérieusement ?

AVRIL. – C'est un Lauzier 1849 à double mécanisme de sécurité.
(elle fait craquer ses doigts)
15 Apporte-moi la caisse à outils qui est derrière toi, et prépare ton chronomètre.

---

1. Procédé pictural qui crée l'illusion de la réalité.

45.
28 décembre 1895
Monsieur Antoine

Georges est assis au bord de la scène.
Suzanne arrive dans son dos.

L'HORLOGER, *off.* – « Tout tourne. Les aiguilles du temps. La planète.
La vie. Certains pensent que la vie est un trait.
5 Mais la vie est un cercle puisque nous tournons tous.
La seule question est de savoir quand notre tour arrivera.
… Entre, Georges. Approche. »

GEORGES, *off.* – « Comment savez-vous mon nom ? »

L'HORLOGER, *off.* – « Je sais beaucoup de choses. »

10 SUZANNE. – … Le public finira par arriver, Monsieur le directeur.

GEORGES. – Merci, Suzanne.
(il soupire)
Mais malheureusement, non. Après cinq années passées à l'attendre, je pense que nous pouvons admettre que le public ne viendra pas.
15 J'ai tout essayé, pourtant. J'ai refait le théâtre, proposé de nouveaux tours, fait venir des vedettes…
Comment faisait Robert-Houdin ? La salle était pleine, tous les soirs !

SUZANNE. – C'était une autre époque.

Georges se tourne vers Suzanne.

20 GEORGES. – Tu avais quelque chose à me dire ?

SUZANNE, *après avoir longtemps hésité.* – On m'a proposé un rôle, à la Renaissance[1].
(savourant l'ironie de la chose)
Pour donner la réplique à Sarah Bernhardt.

25 GEORGES, *peinant à masquer son amertume*[2]. – À la Renaissance ? Mazette ! Quelle promotion !

SUZANNE. – Ce ne sont que quelques lignes.
Georges, je voulais te remercier. De m'avoir gardée, pendant ces cinq ans. Tu aurais pu me congédier, sans une explication, je ne t'en aurais
30 même pas voulu. Mais tu m'as gardée, sans jamais me manquer de respect et…

GEORGES. – Où est ton prétendant[3] ? Le beau garçon qui te suivait partout ? Celui qui a fait l'École des mines ?

SUZANNE, *après un temps.* – Pourquoi as-tu racheté ce théâtre, Georges ?

35 GEORGES. – Je voulais t'épouser. Je n'ai pas pu. Il fallait bien que je trouve un moyen de rester près de toi. Mais tu as raison de partir, car bientôt, le théâtre fermera.

SUZANNE. – Pourquoi cela ?

GEORGES. – J'ai revendu mes parts de l'entreprise familiale.

40 SUZANNE. – Tu n'as pas fait ça !

GEORGES. – … Sans ça, nous aurions mis la clé sous la porte il y a longtemps.
(elle vient s'asseoir près de lui)
J'aurais aimé être tant de choses, vois-tu…

---

1. Théâtre parisien.
2. Mélange de déception et d'aigreur, de dépit.
3. Homme qui souhaite conquérir une femme.

45 J'aurais aimé inventer une illusion extraordinaire, qui aurait rempli la salle, qui m'aurait couvert de gloire à tes yeux. Mais je n'ai rien inventé. J'ai trente-quatre ans et je n'ai rien inventé.

Je suis et ne serai toujours que le fils d'un cordonnier.

L'ANTIQUAIRE, *entrant.* – Georges ?

50 GEORGES. – Monsieur Antoine ?

L'ANTIQUAIRE. – Je vous dérange ? Je me suis permis…

GEORGES. – Du tout, du tout. Vous connaissez Suzanne ?

L'ANTIQUAIRE. – « L'escamotée[1] », bien sûr, dites-moi, qu'est-ce que vous faites, ce soir ?

55 GEORGES. – Nous ? Ce soir ?

L'ANTIQUAIRE. – Si vous êtes curieux, venez donc faire un tour au Grand-Café.

GEORGES. – Au Grand-Café ?

L'ANTIQUAIRE. – C'est ça. Mes fils proposent une expérience qui vous 60 plaira peut-être. 20 h. Je vous invite.

GEORGES. – Vous avez des enfants ? Je ne savais pas !

L'ANTIQUAIRE, *sortant.* – … Au Grand-Café. 20 h !

GEORGES, *à Suzanne.* – Veux-tu y aller ? À moins que tu ne voies…

SUZANNE. – … Lucien ?

65 GEORGES. – Lucien.

SUZANNE, *souriant.* – Je l'ai quitté. Le mois dernier.

1. Celle que l'on fait disparaître.

46.

28 décembre 1895, 20 h

Grand-Café

Au Grand-Café, 14 boulevard des Capucines, Paris.

L'ANTIQUAIRE. – Vous êtes venus !
(il va à eux)
Approchez, c'est par ici.

5 GEORGES. – Au sous-sol ?

L'ANTIQUAIRE. – Au sous-sol, le « Salon indien ». Une cave, en réalité. Volpini[1] me la loue trente francs par jour. Je lui ai proposé vingt pour cent des recettes, il n'a rien voulu entendre.

GEORGES. – À combien est l'entrée ?

10 L'ANTIQUAIRE. – … Un franc. Gratuit, pour vous.

GEORGES. – Et combien de temps « l'expérience » dure-t-elle ?

L'ANTIQUAIRE. – Pas même une demi-heure. Tenez, mettez-vous là.

Suzanne et Georges s'assoient et regardent autour d'eux.

SUZANNE. – Trente personnes. Il n'y a pas foule.

15 GEORGES. – C'est une première.

SUZANNE, *se retournant.* – Qu'est-ce que c'est que cette machine ?

GEORGES, *se retournant.* – … Ça ressemble à une lanterne magique[2]. Rien d'extraordinaire.

---

1. Propriétaire du Café des Arts à Paris où se tint en 1889 une exposition d'œuvres impressionnistes.
2. Objet lumineux qui sert à projeter des images peintes sur des plaques de verre.

47.
Paris, 23 juin 1984, 21 h 53
Dans le coffre

DÉCEMBRE. – Quatre minutes.

AVRIL. – Ne me déconcentre pas.

DÉCEMBRE. – Quatre minutes et cinq secondes.
Si je voulais te déconcentrer, je te dirais plutôt que tu es la fille la plus
5 belle que j'aie jamais rencontrée.
Et intelligente, aussi.
(se souvenant)
Et fiancée. Et enceinte.

Un bruit sourd se fait entendre : Avril a ouvert le coffre.

10 AVRIL. – Chrono ?

DÉCEMBRE. – Quatre minutes, vingt-cinq secondes.

AVRIL. – Ponctuelle, aussi. Je suis très ponctuelle.

Elle se penche dans le coffre-fort, éclairé par la lampe torche de Décembre.
Elle en sort une boîte en fer circulaire. Une boîte de film.

48.
28 décembre 1895 – 23 juin 1984
Lumière

L'Arrivée d'un train en gare de La Ciotat[1] *commence.*
Première présentation publique de cinéma.

---

1. Ville du sud de la France, près de Marseille, où fut tourné le film de Louis Lumière en 1895.

Les images prennent vie. On entend le train siffler, rouler.
Les couleurs arrivent. L'image se fait plus grande.
5 *La musique monte.*
Plus de cent ans de cinéma défilent en quelques secondes.
La musique monte, monte, et s'arrête net, tandis que les lumières se rallument brusquement.

GEORGES, *se levant, bouleversé.* – Prodigieux ! C'est prodigieux !
10 Je vous en offre 1 000 francs, ici, de suite !

L'ANTIQUAIRE. – C'est inutile.

DÉCEMBRE, *découvrant l'intérieur des boîtes.* – Une bobine de film !

GEORGES. – 2 000 francs… 5 000 francs !

L'ANTIQUAIRE. – Vous vous fatiguez.

15 SUZANNE. – Georges.

GEORGES. – 10 000 francs ! 10 000 francs pour votre machine, porte-t-elle un nom, au moins ?

DÉCEMBRE. – Il y a quelque chose d'inscrit sur la boîte…

L'ANTIQUAIRE. – Le directeur du musée Grévin[1] vient de m'en offrir
20 20 000.

LALLEMENT. – Et moi, je vous en offre 50 000 !

Sensation dans la salle.

SUZANNE. – C'est le directeur des Folies Bergère[2].

LALLEMENT. – Qui dit mieux ?

---

1. Musée parisien qui expose des représentations en cire de personnes célèbres.
2. Célèbre salle de spectacle parisienne.

25 L'ANTIQUAIRE. – Messieurs, Messieurs, c'est inutile, vraiment… Cette invention n'est pas à vendre, et, croyez-moi, je vous épargne la ruine. Elle sera exploitée quelque temps, comme une curiosité scientifique, mais assurément elle n'a aucun avenir commercial !

GEORGES. – Viens, Suzanne, sortons !

30 *Ils sortent, aussi excités que renfrognés*[1].

DÉCEMBRE. – « Star-Films présente… »

LALLEMENT. – Qui est ce jeune impatient ?

L'ANTIQUAIRE. – Vous ne connaissez pas Georges ?
C'est l'héritier des chaussures Méliès.

35 DÉCEMBRE. – « … un film de Georges Méliès[2] ».

LALLEMENT. – Georges Méliès.

L'ANTIQUAIRE. – … Un nom à retenir.

49.
23 juin 1984, 21 h 54
Méliès

AVRIL. – Méliès ! Un film de Méliès, ici ? !

DÉCEMBRE. – Mais oui c'était lui ! Le dernier directeur du théâtre Robert-Houdin, c'était Georges Méliès !

AVRIL. – On a un film de Méliès entre les mains !

---

1. De mauvaise humeur.
2. Réalisateur et prestidigitateur français (1861-1938). Il est considéré comme l'inventeur des trucages au cinéma, il crée notamment le premier studio de cinéma.

5 DÉCEMBRE. – Oui mais on sait pas quel film c'est, y'a pas le titre, si ça se trouve c'est un que tout le monde connaît.

AVRIL. – Oui mais si c'est un inédit[1] ?

DÉCEMBRE. – Oui mais si c'est pas un inédit ?

AVRIL. – Il faut qu'on sache ! Il faut qu'on voie ce film !

10 DÉCEMBRE. – Oui mais pour qu'on voie ce film, il faut qu'on le vole, il faut qu'on passe Manuel, et il faut qu'on trouve un projecteur du XIXe siècle qui soit encore en état de marche !

AVRIL. – Voilà !

DÉCEMBRE, *après un temps.* – … T'es très spéciale, comme fille.

50.
28 décembre 1895
L'illusion parfaite

Dehors, Suzanne et Georges exultent.

GEORGES. – La voilà, l'illusion parfaite ! La voilà !
Voilà l'avenir du théâtre, de la magie, du spectacle !
Suzanne, il me faut cette machine !

5 SUZANNE. – Mais Georges, ils ne veulent pas la vendre.

GEORGES, *se sentant pousser des ailes.* – Alors, il faut la construire.

SUZANNE. – … Personne en France n'en est capable.

GEORGES. – Alors, j'irai en Angleterre.

---

1. Œuvre qui n'a jamais été dévoilée au public.

51.
23 juin 1984, 21 h 58
Gol

LA TÉLÉ, *off.* – Et Chalana qui centre pour Jordão qui reprend à la volée, et Jordão qui marque !

MANUEL. – Bravo ! Portugal !

LA TÉLÉ, *off.* – Ah là, là, que c'est dur… à la 98e minute, en pleines
5 prolongations[1], 2 buts à 1 pour le Portugal. Que c'est dur !

AVRIL. – Manuel ?

MANUEL. – But, mademoiselle Avril ! But, pour le Portugal ! Dois a um!

Avril fait signe à Décembre de passer, discrètement.

AVRIL. – Vraiment ? Aïe aïe aïe… But de qui ?

10 MANUEL. – Jordão, bien servi par Chalana, encore.

Décembre passe, baissé, le film sous la chemise.

Il essaie néanmoins de jeter un œil au foot.

DÉCEMBRE. – Ah putain…

AVRIL. – Ah oui, encore Chalana ?

15 MANUEL. – Ha ! Ha ! Le foot, c'est pas votre truc… vous préférez le cinéma ?

AVRIL. – Mais pas du tout, pas du tout !

MANUEL. – Et il est où, votre ami ?

---

1. Temps supplémentaire de jeu pour départager les équipes à égalité.

AVRIL, *paniquant.* – Et justement, Manuel, je me suis toujours
20 demandé, c'est quoi, la règle du hors-jeu[1] ?

52.
Janvier 1896
Kinétographe[2]

MARIUS. – Je comprends pas, patron, vous partez en Angleterre acheter un prototype[3] de machine à images ?

GEORGES. – J'ai un ami anglais, William, un passionné de photo. Je lui rachète sa machine, et ses prises de vues.

5 MADAME GABRIELLE. – Et pour combien ?

GEORGES. – Je lui offrirai 1 000 francs pour le tout. Nous partons demain.

MADAME GABRIELLE. – 1 000 francs…

MARIUS. – Demain ?

10 GEORGES. – Vous ne comprenez pas, 3 000 personnes se pressent chaque jour au Salon indien[4].

MARIUS. – 3 000 personnes ?

MADAME GABRIELLE. – 3 000 personnes.

---

1. Infraction au football.

2. Première caméra de cinéma à être inventée.

3. Premier modèle d'un objet afin de le mettre au point définitivement avant sa fabrication en série et sa commercialisation.

4. C'est dans ce salon, anciennement situé au 14 boulevard des Capucines dans le 9e arrondissement de Paris, qu'a eu lieu la première projection payante du cinématographe des frères Lumière, le 28 décembre 1895.

GEORGES. – 3 000 ! Volpini s'arrache les cheveux d'avoir refusé son
15 pourcentage. Mais ce qu'il faut, pour les projeter, ce n'est pas un café, c'est un théâtre.

MARIUS, *comprenant.* – Mais patron, un théâtre, on en a un !

53.
23 juin 1984, 22 h 02
Hors-jeu

AVRIL, *dans la voiture, côté passager.* – … Donc si le dernier défenseur est devant l'attaquant adverse au moment où il tire, c'est…

DÉCEMBRE, *dans la voiture, au volant.* – Je sais pas. Me demande pas, j'ai jamais rien compris.

5 GÉRARD, *entrant dans la voiture, à l'arrière.* – Je te l'ai dit dix fois : le hors-jeu, c'est quand un joueur est plus près de la ligne de but adverse qu'à la fois sa ligne de but, le ballon et l'avant-dernier adversaire, au moment où la balle est jouée par un partenaire.

DÉCEMBRE. – Voilà, c'est Gérard qui nous prête la voiture.

10 AVRIL. – Gérard ?

GÉRARD. – J'avais prévu de dévaliser la banque, mais Dédé avait oublié de me prévenir qu'il n'y avait pas d'argent dans le coffre pendant le chantier.

AVRIL. – Dédé ?

15 DÉCEMBRE. – Bon, ce film, on en fait quoi ?

GÉRARD. – Un film ? Quel film ?

LOUISE, *entrant dans la voiture, à l'arrière.* – Il faut le projeter avec un kinétographe d'origine !

GÉRARD. – Un quoi ?

20 LOUISE. – Un kinétographe. Louise.

GÉRARD. – Gérard.

AVRIL. – Louise est très cinéphile[1].

LOUISE, *à Décembre.* – Avril m'avait demandé de l'attendre, au cas où vous n'étiez pas un chic type. Ravie.

25 DÉCEMBRE. – Salut.

LOUISE, *à Avril.* – Il est très mignon.

AVRIL, *gênée.* – Bon on démarre ?

DÉCEMBRE. – On va où ?

GÉRARD. – Trouver un kinétographe !

30 LOUISE. – Bravo, Gérard.

DÉCEMBRE. – Et ça se trouve où un kinétographe ?

LOUISE. – Place du Trocadéro, à Chaillot, au musée du cinéma !

54.
Février 1896
Boutique

Georges est revenu d'Angleterre, sa barbe a poussé.

GEORGES. – Marius, tu vas boucher toutes les entrées de lumière. Ici, là, et là.

---

1. Passionné(e) de cinéma.

Marius. – Mais patron, cette boutique, elle n'est pas à nous !

5 Georges. – Ah ? Va donc voir la surprise que j'ai laissée à l'entrée.

Madame Gabrielle. – Monsieur Méliès ? Vous avez fait bon voyage ?

Georges. – Épouvantable ! La mer était déchaînée.
Qu'est-ce que vous pensez de cette boutique ?

Madame Gabrielle. – … Elle est très sombre. Toute petite. Assez
10 laide.

Georges. – Je viens de l'acheter ! Ce sera notre laboratoire.
Ici, nous mettrons le liquide révélateur[1], ici le liquide fixateur[2].

Marius, *entrant avec le kinétographe*. – Qu'est-ce que c'est que cette machine, patron ? On dirait un moulin à café géant !

15 Georges. – Je vous présente le kinétographe !

Marius. – Le quoi ?

Georges. – C'est du grec : « Kineto », le mouvement. « Graphe », l'écriture.

Marius. – « Le mouvement de l'écriture ».

20 Georges. – L'inverse.

Madame Gabrielle. – « L'écriture du mouvement ».

Georges. – Son fonctionnement est très simple : il suffit de tourner la manivelle, à vitesse régulière. Ce sera ton poste, Marius.

Marius. – Pour quoi faire exactement ?

---

1. Produit chimique qui sert à révéler l'image sur la pellicule de film.
2. Produit chimique qui sert à fixer l'image sur la pellicule de film.

25 GEORGES. – Des vues ! Nous allons faire des vues, comme les Lumière[1], que nous projetterons au théâtre.

MADAME GABRIELLE. – Des vues de quoi ?

GEORGES. – Tout. N'importe quoi. Un tour de passe-passe, une leçon de bicyclette, une arrivée de train… La vie.

30 MADAME GABRIELLE. – C'est complètement idiot.

55.
Séance

Séance du soir, projection des premières vues.
L'accueil est très bon. Georges, Marius et Madame Gabrielle contemplent l'effet sur les spectateurs.

MADAME GABRIELLE. – Le public a l'air d'aimer. C'est étonnant.

5 GEORGES. – Nous les vendrons, aussi. Aux directeurs de salle, aux forains[2]. Et nous vendrons la machine, avec.

MARIUS. – Ces vues-ci, seulement ? Il faudrait en prendre d'autres.

GEORGES. – Nous en prendrons d'autres.
Nous tournerons tous les jours.

10 GABRIELLE. – Tous les jours ?

GEORGES. – Tous les jours.

1. Les frères Louis (1864-1948) et Auguste (1862-1954) Lumière sont des ingénieurs et industriels français considérés comme les pères du cinéma car ils sont à l'origine de nombreuses inventions pour le cinéma et la photographie.
2. Artistes des foires.

56.
Programme

Madame Gabrielle note dans un carnet le programme à venir.

MADAME GABRIELLE. – Donc, aujourd'hui la foule, place du Théâtre-Français, et l'arrivée d'un train en gare de Vincennes. Demain, les bateaux-mouches, le bois de Boulogne…

5 GEORGES. – Et un enfant qui joue. Au ballon.

MADAME GABRIELLE. – Ça ne raconte pas grand'chose.
Mais si ça plaît…

GEORGES. – Qu'est-ce que vous dites ?

MADAME GABRIELLE. – Je dis que si ça plaît…

10 GEORGES. – Non, avant.

MADAME GABRIELLE. – Ah. Que ça ne raconte pas grand'chose.
Les spectateurs veulent de l'émotion, ou de l'humour, ou du frisson, en tous cas ils veulent voyager. Ils veulent rêver. Voir des bébés et des arrivées de train, ça les amusera, un temps. Ensuite, ils retourneront au 15 théâtre. Enfin, c'est vous le patron. Moi, pour ce que j'en dis…

Georges reste seul, pensif.

57.
Invention

Georges, au milieu de la nuit, pénètre dans l'appartement de Suzanne.

GEORGES. – Suzanne. Suzanne, réveille-toi.

SUZANNE. – Georges ? Mais… Quelle heure est-il ?

GEORGES. – Cinq heures.

SUZANNE, *allumant une lampe.* – Cinq heures !

GEORGES. – Suzanne, tu sais que nous projetons des vues, au théâtre ?

SUZANNE. – Comment es-tu rentré ?

GEORGES. – La porte était ouverte. Les vues ont beaucoup de succès, Suzanne. Mais nous imitons. Nous imitons les Lumière.

SUZANNE. – Georges, il est cinq heures du matin.

GEORGES. – Le public se lassera. Il finira par vouloir du nouveau, il retournera au théâtre.

SUZANNE, *éteignant la lampe.* – Eh bien qu'il y retourne ! Et toi, retourne te coucher !

GEORGES. – Comment se passent tes représentations avec Sarah Bernhardt ?

SUZANNE. – Merveilleusement bien. Elle m'a coupé toutes mes répliques.

GEORGES. – Suzanne, et si je te proposais mieux que le théâtre ?

SUZANNE, *soupirant.* – Et si tu me laissais dormir ?

GEORGES, *inventant le cinéma.* – Écoute-moi. Tout ce que le public attend, c'est qu'on lui raconte une histoire. Rien ne m'empêche d'utiliser des costumes, des décors, des artifices… comme sur scène. Mais avec le kinétographe, il n'y a pas de murs.
Il y a un cadre, certes, mais à l'intérieur de ce cadre, tout est possible. Nous pouvons inventer un nouveau langage, une nouvelle manière de raconter, de raconter une histoire, qui mêlera la peinture, la musique, la magie… Et qui restera gravée, à jamais, sur la pellicule.

SUZANNE. – Georges, pourquoi tiens-tu à me dire ça à cinq heures du
30 matin ?

GEORGES. – Parce que, Suzanne, il me faut une actrice.

58.

Juillet 1896, Montreuil

Escamotage d'une dame au théâtre Robert-Houdin

À Montreuil, Georges a créé une sorte de petite scène, avec des panneaux de bois.

Il a mis ses habits de magicien. Suzanne a enfilé une jolie robe à fleurs.

MARIUS. – Vous avez construit un décor, patron ?

5 GEORGES. – Je viens de le peindre. Marius, place la machine ici !

SUZANNE, *tournant sur elle-même.* – La robe vous plaît ?

GEORGES. – Beaucoup.

(*à Marius*)

Hier, en prenant la place de l'Opéra, ma caméra s'est retrouvée bloquée,
10 pendant une minute. Tu te souviens ?

MARIUS. – Euh… Oui, et alors ?

GEORGES. – En projetant la bande, nous nous sommes rendu compte qu'un corbillard[1] avait pris la place d'un omnibus.

SUZANNE. – Et alors ?

15 GEORGES. – Alors, je vais escamoter Suzanne.

SUZANNE. – Encore ?

1. Voiture transportant les cercueils.

GEORGES. – … Mais cette fois, je vais t'escamoter dans une vue.
Marius, tourne la manivelle.
(*Marius s'exécute*)
20 Je fais une entrée, je salue, j'appelle Suzanne, place-toi là.
J'étale un journal au sol, je pose la chaise dessus.
Assieds-toi, Suzanne.

On commence à apercevoir, projeté en fond, le film original de Méliès : « Escamotage d'une dame au théâtre Robert-Houdin. »

25 SUZANNE. – Comme ça ?

GEORGES. – Regarde l'objectif, comme si c'était le public.
Je saisis une couverture, que je secoue, et je cache entièrement Suzanne.

SUZANNE. – Il fait chaud !

GEORGES. – Puis, je reprends la couverture, et… Marius, halte !
30 (*Marius se fige*)
La machine s'est arrêtée, Suzanne, tu peux t'en aller.
(*Suzanne s'éclipse*)
Marius, tourne la manivelle !
Je secoue le drap, je l'ôte ! Elle a disparu !
35 Marius, qu'est-ce que tu en penses ?

MARIUS, *après un temps.* – … Vous croyez vraiment qu'il y aura un public, pour ça, patron ?

59.

23 juin 1984, Paris, 22 h 10

Place du Trocadéro

Dans la voiture.

LA RADIO, *off.* – 10 minutes à jouer.

10 minutes à jouer, et la France est toujours menée 2 à 1.

GÉRARD. – Allez !

5 LA RADIO, *off.* – Ça va être très difficile…

GÉRARD. – Allez !

LA RADIO, *off.* – On peut même dire qu'à ce stade, il nous faudrait un miracle…

LOUISE, *éteignant la radio, à Décembre.* – Avril m'a dit que vous étiez
10 orphelin ?

Gérard rallume la radio.

LA RADIO, *off.* – Un miracle, tout à fait. C'est le mot qui convient.

LOUISE, *éteignant la radio, à Décembre.* – Du père, de la mère ?

DÉCEMBRE. – Des deux.

15 LOUISE. – Des deux !

AVRIL. – Louise !

DÉCEMBRE. – Ma mère a accouché sous X[1].

LOUISE. – Et vous n'avez jamais essayé de la retrouver ?

DÉCEMBRE. – Euh…

---

1. De façon anonyme.

20 LOUISE. – Vous savez qu'à l'époque, on demandait à la mère de mettre son nom dans une enveloppe scellée, au cas où elle décédait pendant l'accouchement, et que cette enveloppe pouvait être consultée par l'enfant majeur ?

DÉCEMBRE. – Ah bon ?

25 GÉRARD. – Elle parle beaucoup, non ?

AVRIL. – Oui.

GÉRARD. – On remet le match ?

DÉCEMBRE. – Non.

LOUISE. – En tous cas ça faisait trop de données à traiter, alors on sup-
30 prime les données au fur et à mesure, et on les rentre maintenant dans un système informatique.

GÉRARD, *à Avril.* – Comment elle sait tout ça ?

AVRIL. – Elle est f…

LOUISE. – Je suis fonctionnaire d'État, tout simplement ! Ce n'est pas
35 parce qu'on est bien née que l'on doit laisser les tâches administratives de notre République à…

AVRIL. – Louise ? Louise ?

LOUISE. – Pardon.

GÉRARD. – On remet le match ?

40 DÉCEMBRE et AVRIL. – Non !

LOUISE. – Décembre, nous ne sommes pas exactement aux horaires de bureau, mais il se trouve qu'en ce moment, j'héberge un sans-papier, Babacar, un jeune Soudanais[1] qui fuit la répression[2] et la misère,

---

1. Habitant du Soudan, pays d'Afrique.
2. Violence commise par un gouvernement pour empêcher toute rébellion.

et comme nous sommes dans un gouvernement de gauche – enfin
45 j'estime qu'il est normal de donner à tous ceux qui le méritent…

AVRIL. – Louise…

LOUISE. – Oui pardon !

GÉRARD. – On remet le… ?

DÉCEMBRE et AVRIL. – NON !

50 LOUISE. – Bref, je le loge au bureau ! Et il se débrouille très bien avec l'ordinateur, alors je lui fais effectuer des petites tâches de secrétariat, que je rémunère, et je…

AVRIL. – Louise !

LOUISE. – … et je vais l'appeler ! Voilà, j'ai fini !

60.
Septembre 1896
Long-métrage

GEORGES. – Mes amis, nous allons faire un long-métrage !

MARIUS. – Un quoi ?

GEORGES. – Non pas 20, non pas 40, mais 60 mètres de pellicule : plus de trois minutes de film ! « Le Manoir du Diable », Suzanne jouera
5 l'innocente jeune fille, je serai le diabolique Méphisto[1].

MADAME GABRIELLE. – Monsieur Méliès ? J'ai dix jeunes femmes qui attendent d'être vues par vous !

SUZANNE. – Dix jeunes femmes ?

---

1. Nom donné au diable.

MADAME GABRIELLE. – C'est pour un poste de « coloriste », disent-elles.

GEORGES. – Embauchez-les toutes !

SUZANNE. – Toutes ?

GEORGES. – Le film sera en couleurs.

MARIUS. – En couleurs ? Il va falloir colorier chaque image à la main ?

GEORGES, *malicieux*. – Précisément !

61.

Octobre 1896, Montreuil

Studio

À Montreuil, Suzanne est encore habillée de cette petite robe à fleurs.

SUZANNE. – J'ai froid !

GEORGES. – Que se passe-t-il, Suzanne ?

SUZANNE. – Désolée, mais j'ai froid. On est en octobre !

MARIUS. – L'hiver arrive, patron. On ne va pas pouvoir priser[1] en extérieur bien longtemps.

GEORGES, *recouvrant les épaules de Suzanne de son manteau*. – Rentre te réchauffer, à l'intérieur.

SUZANNE, *le retenant*. – Monsieur Georges.

Suzanne embrasse Georges, tendrement, puis passionnément.

MARIUS, *posant le kinétographe*. – Et voilà…
(*il remarque le baiser*)
… et voilà.

---

1. Faire des prises, des vues. Filmer.

Suzanne se détache, et sort.

15 *Georges reste sonné par le baiser.*

MARIUS, *changeant de conversation.* – En parlant d'intérieur, il nous faudrait une salle.

GEORGES. – Une salle ?

MARIUS. – Pour priser.

20 GEORGES. – Ah. Oui. Mais il en faudrait une avec un toit en verre…

MARIUS, *comprenant.* – Un toit en verre ?
… Pour la lumière, oui, bien sûr.

GEORGES. – Avec du parquet, et un système de poulies pour les toiles. Comme un théâtre, mais dédié aux prises de vues.

25 MARIUS. – Idéalement, mais où trouver ça ?

GEORGES, *montrant un coin du parc.* – Et pourquoi pas ici ?

MARIUS. – Soit je suis complètement idiot, soit je ne vois qu'un potager.

GEORGES. – Imagine…
Là, une cheminée. Ici, le parquet. Là, le toit. 17 mètres sur 7. De part
30 et d'autre, les magasins à décors. Une petite scène de 5 mètres de profondeur à un bout, et la machine de l'autre côté.

MARIUS. – Très bonne idée patron ! Mais qui va construire tout ça ?

Georges regarde Marius, en souriant. Marius lève les yeux au ciel.

62.
23 juin 1984, 22 h 14, place du Trocadéro, Paris
Palais de Chaillot

La télé, *off.* – Sept minutes à jouer… sept minutes à jouer, et la France est toujours menée 2 buts à 1. Six minutes maintenant…

Avril. – Le musée est à l'étage !

Autour d'eux, sur la place, des terrasses bondées.

5 Gérard. – T'inquiète pas. On casse la vitre, on entre dans le théâtre, on escalade la façade et on arrive au musée.

Avril. – On escalade la façade ?!

Gérard. – Les doigts dans le nez.

Dans le même temps, Louise téléphone à Babacar :

10 Louise. – Bonsoir, Babacar, désolée de vous importuner, j'espère ne pas vous réveiller…

Ah, vous regardez le match ?

La télé, *off.* – Giresse[1] qui tire ! Contré.

Louise. – Bon eh bien, très bien, j'ai un petit service à vous demander,
15 pourriez-vous allumer l'ordinateur ?
Merci.

La télé, *off.* – Reprise par Battiston[2], qui passe en retrait, pour Domergue. Pour Platini dans la surface, qui tire, non c'est contré, et Domergue qui tire et but ! But ! À la 114e minute !

20 *La place toute entière se lève comme un seul homme.*

---

1. Footballeur français.
2. Footballeur français.

Énorme bruit. Verres brisés, klaxons, boucan[1] *infernal.*

Gérard explose la verrière du théâtre.

DÉCEMBRE. – BUT ! BUT !

LA TÉLÉ, *off.* – Il n'était même pas titulaire et le voilà qui ramène la
25 France à 2 buts partout ! Et on se met à rêver !

GÉRARD, *à Avril.* – Go ! Je vais chercher la petite.

Avril entre par effraction[2] *dans le musée.*

LOUISE, *hurlant au téléphone.* – « Décembre », c'est ça, né le 9 décembre 1954, oui ! Oui !

30 *Gérard tire Louise par le bras, l'arrache au téléphone.*

GÉRARD. – Il va falloir y aller, il va falloir y aller !

Il raccroche, de force. Louise entre dans le musée, mais Gérard est happé par le match.

GÉRARD. – DEUX PARTOUT !

35 *Décembre le prend par le bras et le tire vers le musée.*

Il reste à son tour happé par le match.

DÉCEMBRE. – ALLEZ !

Avril vient le récupérer.

---

1. Agitation bruyante.

2. Sans autorisation.

63.
16 février 1899, Montreuil
Star-Films

MADAME GABRIELLE, *à la cantonade*. – Monsieur Méliès tient à être très précis sur le vocabulaire employé ! À l'atelier de prises de vues, la machine se nomme le « kinétographe », et non pas « le moulin à café ». Ici, vous êtes des « poseurs », et des « poseuses », et non pas des acteurs.
5 Vous serez payés 20 francs la séance de pose.

MARIUS. – Plus le déjeuner.

MADAME GABRIELLE. – S'il y en a qui ont l'humilité réticente[1], la porte est par là.

MARIUS. – Écoutez-moi bien. Lorsque Monsieur Méliès dit « tourne »,
10 nous sommes en jeu.
Lorsqu'il dit « Halte », le jeu est fini, bien compris ?

MADAME GABRIELLE. – … Ils ont compris.

MARIUS, *à la cantonade*. – Bienvenue chez Star-Films !

GEORGES. – Marius !

15 MARIUS. – Patron ?

GEORGES. – Marius, tu sais que Félix Faure[2] vient de mourir ?

MARIUS. – Entre les cuisses d'une demoiselle, oui, qui ne le sait pas ?

GEORGES. – Je veux que tu prises les funérailles. Nous enverrons la vue dans toute la France.

20 MARIUS. – Je croyais qu'on ne faisait pas de politique.

---

1. Qui ne parviennent pas à être modestes.
2. Homme d'État français et président de la République de 1895 à 1899.

GEORGES. – Ce n'est pas de la politique, Marius, ce sont des affaires ! Madame Gabrielle ?

MADAME GABRIELLE. – Oui, monsieur Méliès ?

GEORGES. – Nous rachetons un stock de costumes au Théâtre-Français.
25 Répertoriez-les, évaluez l'ensemble, payez et envoyez quelqu'un les chercher.

MADAME GABRIELLE. – Bien, monsieur Méliès.

LUCIEN. – Monsieur Méliès ?

Entre Lucien de Maurois, 30 ans.

30 *Très bien habillé, un politique.*

GEORGES. – Lui-même.

LUCIEN. – Lucien de Maurois. Je travaille pour la République.

GEORGES. – Nous nous sommes déjà vus, non ?
(*cordial*)
35 … Mais oui, Lucien ! L'ancien prétendant de Suzanne, l'École des mines ! Comment vas-tu ?

LUCIEN, *très froid*. – Je suis venu vous proposer de travailler pour l'État français.

GEORGES. – L'État français, rien que ça ! Madame Gabrielle !

40 MADAME GABRIELLE. – Monsieur Méliès ?

GEORGES. – Quel bénéfice, cette année ?

MADAME GABRIELLE. – 90 000 francs-or.

GEORGES. – Je ne suis pas un fonctionnaire, Lucien, j'aime trop ma liberté pour la vendre à l'État.

45 LUCIEN. – Travaillez pour nous, je vous le conseille.

Georges. – Déjà, nous sommes passés d'une proposition à un conseil ? Quoi, ensuite, des menaces ? La bonne journée à vous, Monsieur de Maurois.

64.
Pathé Films

Lucien. – Monsieur Pathé[1] ?

Charles. – Charles, appelez-moi Charles.

Lucien. – Savez-vous que Georges Méliès a décidé de produire une série de films sur le capitaine Dreyfus[2] ?

5 Charles. – Une série, excellente idée. Ce garçon est diabolique d'inventivité.

Lucien. – Pourquoi n'en produiriez-vous pas une copie ?

Charles. – Je crains de ne pas avoir bien entendu.

Lucien, *après un temps.* – Voyez-vous, en matière de droits sur le
10 cinématographe, il y a, pour le moment, un vide juridique. Méliès est un inventeur de génie, mais vous êtes un entrepreneur bien plus avisé. Vous avez toute la liberté de refaire à l'identique toutes ses vues et de les diffuser comme lui ne le pourra jamais.

Charles. – Sortez de ce bureau, monsieur.

15 Lucien. – Monsieur Pathé…

---

1. Industriel et producteur de films, fondateur de Pathé Frères (1863-1957).
2. Officier français de confession juive, victime d'une erreur judiciaire qui déclencha une crise politique qui divisa la France entre 1894 et 1906. C'est pour prendre sa défense qu'Émile Zola écrit son fameux article « J'accuse ! » dans le journal *L'Aurore* du 13 janvier 1898.

CHARLES. – Sortez ! Jamais, vous m'entendez, jamais Charles Pathé ne se livrera à des procédés si vils[1] !

Lucien sort.

Charles, après un temps, s'approche de la porte.

20 CHARLES. – Mademoiselle Josiane.

MADEMOISELLE JOSIANE, *entrant.* – Monsieur Pathé ?

CHARLES. – Envoyez quelqu'un de discret acheter toutes les vues qu'a réalisées Georges Méliès, jusqu'à aujourd'hui. Y compris les plus récentes. Et apportez-les-moi.

25 MADEMOISELLE JOSIANE. – Bien, monsieur Pathé.

65.

1902, Montreuil

Westminster in Montreuil

WILLIAM. – Georges !

William et Georges se tombent dans les bras.

GEORGES. – William, how are you?

WILLIAM. – Never been better. Even though it's bloody cold here.

5 *[Je vais très bien. Même s'il fait sacrément froid, ici.]*

GEORGES. – Qu'est-ce qui t'amène en France ?

WILLIAM. – Georges, j'ai une idée pour toi. You know that Queen Victoria[2] died last year?

1. Bas, mesquins.
2. Reine du Royaume-Uni de Grande-Bretagne et d'Irlande (1819-1901).

GEORGES. – Oui.

10 WILLIAM. – Well, le nouveau roi, Edward the 7th[1] sera couronné dans quelques semaines, à la Westminster Abbey[2].

GEORGES. – Et tu veux que j'en fasse une vue ?

WILLIAM. – No.

GEORGES. – No?

15 WILLIAM. – No. You see the problem is : on ne peut pas être admis dans l'Abbey.

Un temps. Georges comprend.

GEORGES. – Ah.

WILLIAM. – Mais, on peut priser l'arrivée du cortège de Westminster.

20 GEORGES. – Oui, mais l'intérieur ?

WILLIAM, *souriant.* – … Et si tu le reconstituais in Montreuil ?

GEORGES. – In Montreuil?

WILLIAM. – In Montreuil. Avec des poseurs, des costumes, un décor…

GEORGES, *des étoiles dans les yeux.* – … Il faudrait un décor immense.

25 WILLIAM. – Huge.

Les deux hommes se regardent.

GEORGES. – Nous pourrions utiliser le hangar attenant à l'atelier.

WILLIAM. – Aha! You like the idea!

GEORGES. – Il me faudrait des photos de tous les membres de la famille
30 royale.

---

1. Roi du Royaume-Uni et fils de la reine Victoria (1841-1910).
2. Célèbre édifice religieux de Londres.

WILLIAM. – You'll have them! All of them! Je connais le master of ceremony[1], il me donnera tous les détails.

GEORGES. – Le résultat doit être aussi réaliste que l'original.

WILLIAM. – Plus réaliste !

35 GEORGES, *appelant.* – Madame Gabrielle ! Marius ! Tous ! Venez tous !

66.
1902, Paris
Couronnement

LUCIEN. – Monsieur Méliès ?

GEORGES. – Lucien ! Comment va la République ?

LUCIEN. – Et vous, comment allez-vous ?

GEORGES. – Madame Gabrielle, bénéfices ?

5 MADAME GABRIELLE. – 350 000 francs-or, monsieur Méliès.

LUCIEN, *après un temps.* – Nous avons vu le couronnement.

GEORGES. – Le mien, ou l'autre ?

LUCIEN. – Le résultat est saisissant de réalisme. Savez-vous que la cérémonie a été reportée de l'autre côté de la Manche ?

10 GEORGES, *souriant.* – On me l'a appris.

LUCIEN. – Votre fiction a précédé la réalité. Le roi d'Angleterre a été couronné dans les cinémas français avant même de l'avoir été à Londres. Travaillez pour nous, Georges.

---

1. Maître de cérémonie.

GEORGES. – Mais que voulez-vous que je fasse ?

15 LUCIEN. – Des vues. Nous voudrions que vous amélioriez certaines images d'actualité. Que vous embellissiez la vérité.

GEORGES. – Que je la truque, voulez-vous dire ?

LUCIEN. – Vous auriez tous les pouvoirs.

Georges semble hésiter un instant.

20 GEORGES. – Le pouvoir est une illusion, Lucien.
Pour chaque fou qui croit tenir sous sa botte quelques individus, il y a au-dessus de lui une autre botte, plus grande, appartenant à un autre fou.
Moi, je suis le capitaine d'un vaisseau majestueux, un vaisseau qui peut
25 contenir l'Humanité toute entière, transcendant[1] les âges, les origines ou les croyances, un vaisseau dont le seul but est le voyage. Et savez-vous quelle est ma prochaine destination, Monsieur de Maurois ?

LUCIEN. – L'Afrique ? L'Asie ?

GEORGES. – La Lune, Monsieur le sous-secrétaire. Rien de moins que
30 la Lune.

67.
23 juin 1984, 22 h 17
Le monde est un navire

GÉRARD. – Attention : je tourne la manivelle.

Gérard parvient à relancer la machine de Méliès.

---

1. Qui dépasse, qui est au-delà.

Ils assistent, fascinés, à son Voyage dans la Lune.

L'HORLOGER. – Le monde est un grand navire, qui contient trois types
5 de passagers :
ceux qui veulent savoir,
ceux qui savent déjà,
et ceux qui rêvent.

LOUISE. – Décembre, j'ai retrouvé vos parents.

10 DÉCEMBRE. – Pardon ?

LOUISE. – Babacar a retrouvé leur trace.
Votre mère est décédée, mais votre père est toujours en vie.
Nous avons plusieurs copies de ses certificats d'emploi.
Il travaille au même endroit, depuis vingt-cinq ans.

15 DÉCEMBRE. – Où ça ?

LOUISE. – À Paris.

DÉCEMBRE. – À Paris ?

LOUISE. – Oui.
Dans une petite boutique de la place Vendôme.

20 DÉCEMBRE. – Il fait quoi ?

LOUISE. – Il est ouvrier mécanicien. Il est horloger.

Soudain, Le Voyage dans la Lune *s'interrompt, pour faire place à un écran blanc.*

Et les flammes envahissent l'écran. La pellicule brûle, la caméra s'enflamme.

25 AVRIL. – Ça brûle, ça brûle !

GÉRARD. – Ah, merde, la caméra ! Le film !

LOUISE. – Au feu ! Au feu !

Gérard enlève son blouson, le jette sur le kinétographe et éteint les flammes.
Tout s'éteint, le silence revient dans le théâtre.
30 *Un moment où tous semblent assommés.*

Le transistor[1], *off, très faible.* – C'est une victoire qui s'annonce difficile, en tous cas on va se diriger très probablement vers des tirs aux buts…

Le petit transistor est accroché à la taille d'un vigile.
35 *Dans sa main gauche, une lampe torche.*
Dans sa main droite, une matraque.

Le vigile. – Une vitre brisée, l'entrée d'un musée forcé, une porte enfoncée, et en plus de ça vous me faites brûler un kinétographe original ?
40 Un soir de match, vous pouviez pas rester chez vous ?

Le transistor, *off.* – Il reste deux minutes à jouer, Fernandez[2] qui récupère, qui remonte, qui prend son temps, longue passe qui trouve Jean Tigana[3], Jean Tigana qui est lancé, qui est bien lancé !

Le vigile, *montant le son.* – Oh putain.

45 Louise. – Oui ! Allez ! Vas-y, Tigana !

Le vigile, *montant encore le son.* – Chut !

Le transistor, *off.* – … Tigana qui passe, contré ! Tigana qui récupère, qui s'approche de la surface de réparation, Tigana qui centre, qui trouve Platini !

50 Gérard. – Allez !

---

1. Radio portative.
2. Footballeur français.
3. Footballeur français.

LE TRANSISTOR, *off.* – Platini qui contrôle, qui tire, et but !

GÉRARD. – But ! But !

LE TRANSISTOR, *off.* – But de Michel Platini à la 119e minute de jeu !

GÉRARD. – 3-2 ?

55 LE VIGILE. – 3-2 !

GÉRARD. – On va en finale ?

LE VIGILE. – ON VA EN FINALE !

Gérard met un coup de tête au vigile, qui tombe au sol.

GÉRARD. – Et maintenant, je vous propose de courir.

68.
23 juin 1984, 22 h 19, place du Trocadéro, Paris
Finale

Sur la place, c'est l'émeute.
Il reste une minute à jouer, et la France sera qualifiée pour la finale.
AVRIL. – La voiture ! Où est la voiture ?

DÉCEMBRE. – Là-bas ! Elle est là-bas !

5 *Gérard s'est arrêté devant un café.*

LOUISE. – Gérard, vous venez ?!

GÉRARD, *hypnotisé par le match.* – J'arrive ! Il reste une minute !

LOUISE. – Mais d'où vient cette grande histoire d'amour entre l'homme et le ballon ?

10 GÉRARD. – Mais ta gueule ! Juste regarde !

Décembre et Avril se retrouvent seuls.

DÉCEMBRE. – Elle est où, putain ?

AVRIL. – De quoi ?

DÉCEMBRE. – La voiture !

15 *Coup de sifflet final.*

LA TÉLÉ, *off*. – Et c'est fini ! La France est en finale !

Paris s'enflamme. Tout le monde se tombe dans les bras.

Avril et Décembre se regardent.

DÉCEMBRE. – On est en finale.

20 AVRIL. – On est en finale.

DÉCEMBRE. – … On s'embrasse ?

AVRIL. – Oui.

Avril s'avance, mais elle a soudain un mouvement de recul.

AVRIL. – Non, Décembre, je suis fiancée.

25 DÉCEMBRE. – Ouais, ouais, c'est vrai, pardon.

AVRIL. – Oui mais c'est compliqué, ça se passe pas très bien, embrasse-moi.

DÉCEMBRE. – OK.

AVRIL, *elle a un nouveau recul.* – Mais Décembre, je suis enceinte.

30 DÉCEMBRE. – Oui. Oui. Oui, là…

AVRIL. – Je suis enceinte de toi.

DÉCEMBRE. – … Hein ?

AVRIL. – Tu comprends, j'ai toujours voulu un enfant.

DÉCEMBRE. – Avril, on s'est pas encore embrassés.

35 AVRIL. – Et je me suis mise avec ce type chiant comme la pluie, pour qu'il m'en fasse…

DÉCEMBRE. – Ah.

AVRIL. – Mais ses spermatozoïdes ont un problème, ils sont trop lents.

DÉCEMBRE. – Euh…

40 AVRIL. – Alors on a tout essayé, mais ça n'a pas marché, donc finalement je suis allée dans cette clinique, et là ça a marché…

DÉCEMBRE. – Avril ?

AVRIL. – … et tout ce que je savais du père biologique, c'était qu'il avait oublié un livre, dans la clinique, un vieux livre de magie.

45 DÉCEMBRE. – Oh putain.

AVRIL. – Et j'y ai pas fait attention, jusqu'au jour où, dans la salle des coffres de la BNP du boulevard des Italiens, je suis tombée sur cette inscription. Et là j'ai compris. J'ai compris que c'était le destin.

DÉCEMBRE, *commençant à comprendre*. – Oh putain…

50 AVRIL. – Alors j'ai soudoyé[1] la secrétaire, à la clinique, et elle m'a donné le nom du père, et c'est toi.

DÉCEMBRE. – Oh putain !

AVRIL. – J'ai embauché un détective, et je t'ai retrouvé, et j'ai volontairement laissé tomber mon sac devant toi, et tout ce que je voulais c'était
55 te rendre ton livre, mais tu m'as rappelée, Décembre, tu m'as rappelée !

DÉCEMBRE. – Mais t'es complètement malade !

AVRIL. – T'es bien allé dans une… enfin je veux dire, t'as déjà donné ton… ton… ?

---

1. Corrompu.

DÉCEMBRE. – Mais non !

60 AVRIL. – Non ?!

DÉCEMBRE. – … Enfin si, mais c'était il y a longtemps !

LE PATRON. – Alors les amoureux ! On est en finale !

Le patron n'est autre que celui du début !

DÉCEMBRE. – Hein ?

65 LE PATRON. – Et cet enfant ? C'est pour aujourd'hui ou pour demain ?

DÉCEMBRE. – Pardon ?

LE PATRON. – Ah au fait, si vous cherchez votre voiture, elle est là-bas.

DÉCEMBRE. – Comment vous savez ça ?

LE PATRON, *repartant.* – Je sais beaucoup de choses ! J'ai eu tellement
70 de vies…

DÉCEMBRE, *à Avril.* – OK, il est bourré.

AVRIL, *le suivant.* – Décembre, écoute, mon corps est amoureux de toi.
Dès la minute où je t'ai vu, j'ai su.
Tu es là pour élever notre enfant. C'est le destin !

75 DÉCEMBRE. – Mais putain Avril…

AVRIL. – Décembre, Avril, Avril, Décembre !

DÉCEMBRE. – Mais putain Avril, ça n'existe pas !

AVRIL. – Mille ! Plus quarante !

DÉCEMBRE. – Avril.

80 AVRIL. – Plus mille ! Plus trente !

DÉCEMBRE. – Avril !

AVRIL. – Plus mille !

Décembre l'embrasse, enfin.

Crescendo[1] *de la musique. Long baiser, puis :*

85 DÉCEMBRE. – Avril, on n'est pas du tout du même monde. Comment ça pourrait marcher ?

AVRIL. – Ça marchera.

DÉCEMBRE. – Pourquoi ?

AVRIL. – Parce que j'ai ton fils dans le ventre.

90 DÉCEMBRE. – … Un fils ? Comment tu sais que c'est un fils ?

AVRIL. – J'en suis sûre, Décembre, les femmes sentent ces choses-là. C'est un garçon.

69.

28 juin 2000, Montreuil

Épilogue[2]

Sonnerie de palier.
15 ans plus tard, donc.
DÉCEMBRE. – Jeanne ! JEANNE ! Jeanne, va ouvrir !

Décembre appelle sa fille, Jeanne, 15 ans.

5 *Il porte un costume sombre.*

JEANNE. – Je joue, papa, putain !

Elle joue aux jeux vidéo, à la Playstation.

DÉCEMBRE. – VA OUVRIR !

---

1. De plus en plus fort et intense.
2. Dernière partie d'une œuvre qui équivaut à une conclusion.

JEANNE. – Demande à maman !

DÉCEMBRE. – Elle est déjà dans la voiture, va ouvrir à ton grand-père !

JEANNE. – Putain, mais tu fais chier !

Elle met « pause » et va vers la porte.

DÉCEMBRE, *l'arrêtant.* – Attends, attends ma puce !
(*écartant les bras*)
J'ai l'air comment ?

JEANNE. – Ringard.

DÉCEMBRE. – Bon. Je sais que le moment est mal choisi, mais… Ta mère et moi, on se demandait : tu as une idée de ce que tu veux faire l'année prochaine ?

JEANNE, *soupirant.* – Oh putain.
Je vais ouvrir ou… ?

DÉCEMBRE. – Réponds-moi d'abord.

JEANNE, *marmonnant*[1]. – Faire des jeux vidéo…

DÉCEMBRE. – Pardon ?

JEANNE. – Je veux faire des jeux vidéo.
(Décembre soupire)
Non mais pas jouer ! Les faire.
… En fait j'ai pensé à un truc.
(Décembre écoute, plein d'espoir)
Ce qui serait super, ce serait de jouer sans manettes.

DÉCEMBRE. – Jeanne…

1. À voix basse, murmurant entre ses dents.

JEANNE. – … de jouer avec les mains, tu vois ? Les mains, ce serait les manettes. Et je me dis que peut-être… avec des caméras, tu vois ? Des caméras infrarouges, comme dans les films. Peut-être avec trois caméras,
35 placées autour de la télé, on pourrait…

DÉCEMBRE. – Jeanne.

JEANNE. – Oui ?

DÉCEMBRE. – Et à part les jeux vidéo ?

JEANNE. – … Je te déteste.

40 *Le grand-père entre, c'est évidemment l'horloger.*

L'HORLOGER. – Bonjour ma puce, comment ça va ?

JEANNE, *retournant jouer.* – Super.

L'HORLOGER, *à Décembre.* – Et toi comment ça va ?

DÉCEMBRE. – Super. Comment t'es rentré ?

45 L'HORLOGER. – Magie.
… Avril m'a ouvert la porte.
Vous regardez pas le match ? France-Portugal !
Demi-finale de l'Euro !

DÉCEMBRE. – Non, on dîne dehors. C'est une tradition.

50 L'HORLOGER. – Zidane, Desailly, Deschamps[1]…

DÉCEMBRE. – Je sais, je sais, enfonce pas le clou. De toute façon, on va perdre.
(l'embrassant)
Merci papa.

55 L'HORLOGER. – Avec plaisir.

---

1. Célèbres footballeurs de l'équipe de France qui gagneront la Coupe du monde en 1998 et l'Euro en 2000.

DÉCEMBRE, *fort.* – Salut ma puce !
(pas de réponse. À son père)
Elle veut faire des jeux vidéo.

AVRIL, *entrant.* – Bon chéri on y va ?!

60 DÉCEMBRE, *sortant.* – J'arrive, j'arrive !

AVRIL. – Merci Michel. Bon courage.

L'HORLOGER. – Bonne soirée.

Décembre et Avril disparaissent.

Jeanne est assise devant son jeu vidéo.

65 *L'horloger la regarde, un instant.*

L'HORLOGER. – Ton tour viendra, Jeannette.
Tu feras de belles choses.

JEANNE. – Qu'est-ce que tu dis ?

L'HORLOGER. – Rien, rien. Continue de jouer.

70.
Un foulard rouge

L'HORLOGER. – Les aiguilles du temps tournent inexorablement[1], mais la main de l'homme a un pouvoir illimité.
Fermée, elle peut entrer en rébellion, fédérer, ou frapper.
Ouverte, elle peut caresser, porter, ou créer une amitié.
5 On peut également en sortir un foulard.
(il en sort un foulard rouge)

1. De façon implacable, impitoyable.

Le foulard vient d'un autre monde, un univers fantastique dans lequel, l'espace d'un instant, les spectateurs se réfugient en gardant leurs yeux ouverts.
10 Puis, le foulard retourne dans la main, le magicien souffle dessus, et il disparaît.

Noir.

Après-texte

POUR COMPRENDRE

Étapes 1 à 5 126

Questions sur l'œuvre et notions à connaître

GROUPEMENT DE TEXTES

Illusions théâtrales 136

INTERVIEW EXCLUSIVE D'ALEXIS MICHALIK

.... 148

INFORMATION/DOCUMENTATION

Bibliographie, filmographie, vidéographie, visites, sites

Internet, émission de radio 157

Lire

Le destin en question

1 Scènes 3 et 4 (p. 16-19) : quels sont les indices qui prouvent que le destin de Georges semble tracé ? Vous pourrez notamment analyser le temps employé, page 19, ligne 11.

2 Scène 7, p. 23, l. 4-7 : analysez les différentes occurrences du mot « tour » et de ses dérivés. À quoi nous fait réfléchir ce jeu de mots ?

3 Scène 9 (p. 26-27) : pourquoi « le destin prit d'abord la forme d'une libraire » (l. 10) pour Jean ?

4 Scènes 11 à 18 (p. 29-41) : quel est le deuxième tour du destin pour Jean ?

5 P. 42-43, l. 28-31 : quelle est la position de Décembre au sujet du destin ? La fin de la scène lui donne-t-elle raison ?

6 Scène 39 (p. 73-74) : qu'apprend-on sur la nouvelle vie de Georges ? Est-il devenu maître de son destin ?

D'une époque à l'autre

7 Scène 1 (p. 9-10) : quels sont les trois emplois du présent ? Analysez les effets ainsi créés.

8 P. 24, l. 17 (scène 7) à p. 24, l. 4 (scène 8) : comment les trois époques sont-elles réunies dans ce passage ?

9 P. 43, l. 42-46 : pourquoi la vue du livre pétrifie-t-elle Décembre ?

10 P. 54, l. 28 à p. 57, l. 111 : comment le récit enchâssé de l'antiquaire se raccroche-t-il à l'histoire de Jean ?

Des destinées entremêlées

11 P. 22, l. 48-51 : qu'est-ce qui relie Décembre à Robert-Houdin ?

12 P. 22-23 : comment le pont est-il établi entre l'époque de Robert-Houdin et celle de Georges ?

13 Scène 7 (p. 23-24) : les familles de Jean et de Georges se ressemblent-elles ? Justifiez votre réponse.

14 Scène 40 (p. 74-75) : pourquoi les destins de Jean et de Georges sont-ils liés ?

Écrire

15 Scène 9 (p. 26-27) : écrivez une note d'intention de mise en scène qui prendra en compte l'enchevêtrement des époques.

16 Dans un développement construit, vous vous demanderez si la pièce porte bien son nom.

17 Quel lieu réunit les destins des personnages principaux ? Justifiez votre réponse.

Chercher

18 Scène 1 (p. 9-10) : recherchez l'étymologie du terme « prologue ». Dans quel genre de pièces de théâtre en retrouve-t-on ? Quelles en sont les particularités ?

Oral

19 Scène 70, p. 122-123, l. 1-2 : partagez-vous l'avis de l'horloger : « les aiguilles du temps tournent inexorablement, mais la main de l'homme a un pouvoir illimité » ?

À SAVOIR

LE DESTIN

Le destin est l'une des composantes de la tragédie depuis sa création dans l'Antiquité. Il se dresse tel un rappel à l'ordre sur la route du héros en proie à son *hybris* (orgueil démesuré). Ainsi, le protagoniste croit avoir recours à son **libre arbitre** tandis que les dieux tissent la toile d'une **fatalité** (*fatum*) implacable à laquelle il ne saurait échapper (*Œdipe* de Sophocle).

Contrairement à la tragédie, dans *Le Cercle des illusionnistes*, le destin prend de multiples formes. Ainsi il est synonyme de **déterminisme social** lorsque Georges se voit répéter qu'il sera bottier et que Jean ne saurait sortir de sa condition d'horloger. Mais les coups du sort, ces joyeux hasards dont les personnages s'emparent, leur permettent d'éprouver leur liberté, de trouver leur voie et de se tourner vers la création, ce qui les autorise à s'affranchir des attentes familiales.

De plus, les destinées s'enchevêtrent de telle sorte que le temps n'est plus conçu comme « un trait » (scène 7, p. 23, l. 3) mais comme un cercle qui relie les différents créateurs les uns aux autres et auquel le spectateur est invité à prendre part.

Cette conception implique des procédés d'écriture et de mise en scène spécifiques. En effet, les règles du théâtre classique imposaient les trois unités : celle du **lieu**, du **temps** et de l'**action**. Dans cette pièce contemporaine, un même lieu laisse entrevoir, tel un palimpseste, différentes couches temporelles. Espace et temps se rejoignent lorsque Décembre et Avril découvrent ce qui a abrité le théâtre de Robert-Houdin et celui de Méliès. Les personnages de chaque époque se côtoient et se regardent vivre. Tous les fils se rejoignent pour donner sens au destin de Décembre puis pour l'unir à Avril. Le spectateur devine aussi que Jeanne viendra naturellement s'inscrire dans le cercle des illusionnistes.

Lire

1 Scène 2 (p. 10-16) : comment évolue la relation entre les deux personnages ?

2 Scène 2 (p. 10-16) : quels sont leurs points communs ? Quelles sont leurs différences ?

3 P. 42, l. 6 : pourquoi Décembre veut-il partir au début de la scène 19 ?

4 P. 42-43, l. 28-29 : selon vous, qu'est-ce qui pousse Décembre à avouer le vol du sac ?

5 P. 43, l. 49 : après avoir étudié le pronom indéfini, montrez que la réplique d'Avril peut se comprendre de deux façons.

6 Scène 20 (p. 44-45) : quels indices montrent que Décembre est sous le charme d'Avril ?

7 P. 50, l. 21-36 : pourquoi Jean devient-il magicien ?

8 Scène 27 (p. 57-60) : quels sont les arguments qu'utilise Margot pour convaincre Jean ?

9 Scène 37 (p. 71-72) : quelle mise en scène peut-on imaginer pour rendre compte de ce dialogue à distance ?

10 Scène 47 (p. 85) : pourquoi la déclaration d'amour de Décembre est-elle touchante ?

11 P. 103, l. 15 : pourquoi Georges reste-t-il « sonné par le baiser » ?

12 Scène 63 (p. 106-108) : comment se manifeste le rapport de force entre Georges et Lucien ?

13 Scène 68 (p. 115-119) : en quoi ce baiser est-il cinématographique ?

Écrire

14 Scènes 20 et 21 (p. 44-46) : rédigez un paragraphe dans lequel vous étudierez les fonctions des personnages secondaires que sont Gérard et Louise.

15 Scène 68 (p. 115-119) : faites le commentaire de cette scène. Vous pourrez notamment montrer qu'il s'agit dans un premier temps d'une scène d'aveu et de révélations, puis d'une réflexion sur le destin et sur l'amour.

Chercher

16 P. 67, l. 23 : qu'ont en commun Ophélie, Marianne et Juliette ?

17 Quel mythe raconte l'histoire d'un sculpteur et de sa statue ? Quel lien pouvez-vous faire avec Georges et Suzanne ?

18 Faites une recherche sur les baisers les plus célèbres du cinéma.

Oral

Débat

19 Pensez-vous que des conditions sociales différentes peuvent aujourd'hui séparer des êtres ?

À SAVOIR

L'AMOUR

L'amour a toujours été l'un des principaux ressorts des comédies comme des tragédies. Toujours impossible, il est source de conflit donc d'**enjeux dramatiques**. Dans les comédies classiques de Molière, les pères, ces barbons d'un autre âge, s'opposent au mariage de jeunes gens revendiquant la liberté d'aimer et remettant en cause la tradition des mariages arrangés. Le triomphe de l'amour et de la jeunesse est souvent secondé par des valets aussi fourbes qu'ingénieux (*Les Fourberies de Scapin, L'École des femmes*). Dans *Roméo et Juliette* de Shakespeare, les anciennes haines des deux familles ennemies de Vérone empêchent l'union des amants et les poussent à la tragédie la plus sombre. Dans les pièces de Marivaux, dramaturge du siècle des Lumières, l'amour-propre et la différence des conditions supposées sont des obstacles à l'amour (*Le Jeu de l'amour et du hasard*).

Dans *Le Cercle des illusionnistes,* ce sont les conditions sociales qui empêchent dans un premier temps Georges et Suzanne, fille de concierge, de s'aimer, puis c'est au tour de Lucien d'incarner le statut de rival. Avril et Décembre ne semblent pas non plus faits l'un pour l'autre : alors que l'un est un petit voleur à la tire et a obtenu un CAP de mécanicien, l'autre est architecte spécialisée en ingénierie des coffres-forts ! Pourtant, le spectateur assiste à la naissance de leur amour qui pousse Décembre à laisser son amour-propre de côté en avouant le vol du sac. Alors que cette révélation doit entacher la magie de l'instant, elle ne fait que la renforcer. Les personnages secondaires que sont Louise et Gérard accueillent les confidences respectives des protagonistes et les aident dans leur quête de vérité. En outre, la femme aimée, soutien moral et affectif du héros, aide celui-ci à découvrir sa voie créatrice, à l'instar de Margot avec Jean. Suzanne est quant à elle la muse de Georges. Enfin Jeanne, elle, est à la fois l'enfant du destin et de l'amour.

Lire

1 P. 11, l. 10-31 : en quoi réside le comique ?

2 P. 13, l. 67 : pourquoi cette phrase peut-elle revêtir deux significations ?

3 P. 13, l. 70 à p. 15, l. 116 : quels sont les procédés utilisés pour rendre compte de la gêne des personnages ?

4 Scène 3 (p. 16-18) : quels sont les différents types de comique qui dominent cette scène ? Quels effets sont ainsi créés ?

5 P. 20-21, l. 18-45 : après avoir étudié la longueur des répliques et les avoir identifiées, analysez les effets ainsi produits.

6 P. 31, l. 21-22 : en quoi le personnage de l'escamoteur est-il un personnage de comédie ?

7 P. 33, l. 22 : à quoi sont dus les rires du public ?

8 Scène 20 (p. 44-45) : pourquoi la relation entre les deux personnages est-elle drôle ?

9 Scène 23 (p. 47-48) : en quoi l'amour est-il source de comique dans cette scène ?

10 P. 67, l. 24 (scène 33)-l. 1 (scène 34) : pourquoi l'enchaînement des deux répliques est-il comique ? Qu'y a-t-il, dans le même temps, de tragique ?

11 Scène 35 (p. 68-69) : comment les didascalies soulignent-elles le comique de situation ?

12 Scène 36 (p. 69-71) : en quoi la cliente incarne-t-elle l'humour anglais ?

13 Scène 38 (p. 72-73) : à quoi le prénom de William est-il un clin d'œil ?

14 Scène 47 (p. 85) : pourquoi cette scène est-elle à la fois drôle et touchante ?

15 Scène 51 (p. 89-90) : quel type de comique est représenté dans cette scène ?

16 P. 96, l. 15-18 : sur quoi repose l'ironie de la réplique de Suzanne ?

17 Scène 62 (p. 104-105) : en quoi l'enchevêtrement des intrigues est-elle source de comique ?

18 Scène 69 (p. 119-122) : pourquoi les relations entre Jeanne et Décembre font-elles sourire le spectateur ?

Écrire

19 Scènes 35-36 (p. 68-71) : rédigez un commentaire dans lequel vous analyserez pourquoi les relations entre les personnages participent au comique dans ces scènes.

Chercher

20 Qui était Sarah Bernhardt?

21 Dans la scène 51 (p. 89-90), Décembre est caché. Dans quelles autres pièces de théâtre retrouve-t-on ce procédé? Est-ce réservé à la comédie?

Oral

22 Jouez la scène 23 (p. 47-48) en insistant sur la symétrie des situations.

23 Choisissez une scène de la pièce et proposez-en deux lectures : la première qui en soulignera le registre comique ; la seconde qui fera ressortir un aspect plus grave et sérieux.

À SAVOIR

VISÉES DE LA COMÉDIE ET DU REGISTRE COMIQUE

Au XVIIe siècle, la comédie classique devait avant tout plaire et instruire, selon le précepte latin *castigare ridendo mores* (« corriger les mœurs par le rire »), tel que l'entreprit Molière (*L'Avare, Le Bourgeois gentilhomme,* etc.). Dévoiler les ridicules des hommes ne semble pas être le but du dramaturge contemporain Alexis Michalik. La visée morale de la comédie s'efface au profit d'une réflexion sur la destinée humaine, sur le rôle de la création dans nos vies quotidiennes et de façon générale sur les pouvoirs de l'illusion théâtrale. Le rythme effréné et la légèreté apparente de la pièce sont aussi des moyens d'éviter l'ennui au théâtre, ennemi redouté du dramaturge.

Il existe différents types de comique qui peuvent se combiner afin de divertir le spectateur. Le **comique de situation** naît souvent d'un malentendu ou d'un quiproquo, d'un personnage caché. Il s'agit de plonger les personnages dans une situation incongrue et surprenante, ce qui va être la source du rire. C'est le cas lorsque Avril essaie de divertir Manuel (scène 51, p. 89-90). Le **comique de mot** peut résulter d'un trait d'esprit, d'un jeu de mots, d'un accent (anglais pour William et italien pour l'escamoteur). Le **comique de geste** est manifeste lorsque des personnages s'échangent des coups (scène 67, Gérard met un coup de boule au vigile) ou que leur attitude physique prête à rire (par exemple, scène 68, lorsque Gérard est hypnotisé par le match). Le **comique de caractère** porte sur un personnage dont les défauts sont caricaturés. Le **comique de répétition**, enfin, se combine avec les autres types de comique (par exemple, des coups répétés).

Lire

1 Scène 8 (p. 24-25) : quels sont les indices lexicaux et grammaticaux qui prouvent que le niveau de langue familier domine?

2 Scène 16 (p. 35-37) : quels sont les procédés utilisés qui rendent la scène dynamique, cinématographique? Vous pourrez notamment étudier les didascalies.

3 Scène 20 (p. 44-45) : qu'est-ce qui rend cette scène réaliste?

4 P. 54-57 : quels sont les temps dominants dans ce récit? Quels sont leurs emplois? Quels sont les effets ainsi créés?

5 Entre les scènes 38, 39 et 40 (p. 72-75), quel procédé temporel est utilisé? À quoi sert-il?

6 Scène 41 (p. 76) : quel est le coup de théâtre auquel le spectateur et Georges ne s'attendent pas?

7 Scène 44 (p. 80) : à quel genre de film cette scène fait-elle référence?

8 Scène 53 (p. 91-92) : les personnages de Gérard et Louise font-ils avancer l'action? Quelle est leur fonction dans cette scène? Justifiez votre réponse.

9 Scène 62 (p. 104-105) : quelles sont les différentes intrigues qui s'imbriquent dans cette scène? Quels sont les procédés qui rythment la scène?

10 P. 113, l. 4-8 : classez les personnages de la pièce selon leur appartenance à l'un des groupes énoncés par l'horloger.

11 Scène 68 (p. 115-119) : quels sont les problèmes de mise en scène que peut poser cette scène? Comment les résoudriez-vous?

Le personnage de l'horloger

12 Scène 1 (p. 9-10) : quel est le rôle de l'horloger?

13 Scène 7 (p. 23-24) : quel est son pouvoir?

14 Scène 18 (p. 40-41) : quel rôle a-t-il endossé?

15 Scènes 25 et 26 (p. 51-57) : qui est l'antiquaire? Quel est son lien avec l'histoire de Jean?

16 Scène 69 (p. 119-122) : qui est l'horloger dans cette scène?

Écrire

17 Rédigez un paragraphe qui montrera que l'horloger endosse d'autres rôles, qu'il se comporte parfois comme un metteur en scène et comme un spectateur.

18 P. 40, l. 11-14 : rédigez un paragraphe dans lequel vous étudierez la condition de l'artiste avant et pendant la représentation.

19 p. 80, l. 5, «il y a un coffre dans le coffre!» : en quoi cette phrase peut-elle illustrer cette pièce?

Chercher

20 Regardez la bande-annonce du spectacle sur YouTube. Que pensez-vous de la scénographie ?

Oral

21 P. 54-57 : quels procédés de mise en scène imaginez-vous pour rendre vivant ce récit ?

Débat

22 P. 95, l. 12-13 : pensez-vous que la pièce réponde aux critères énoncés par Madame Gabrielle : « Les spectateurs veulent de l'émotion, ou de l'humour, ou du frisson, en tous cas ils veulent voyager. Ils veulent rêver. » ?

À SAVOIR

LA MISE EN SCÈNE

Alexis Michalik est **dramaturge**, il écrit des pièces, mais il est également **metteur en scène,** ce grand « horloger ». Il a d'ailleurs reçu, pour *Le Cercle des illusionnistes*, le Molière du meilleur metteur en scène du théâtre privé. Il dirige ses **comédiens** (le terme d'« **acteur** » est à l'origine réservé au cinéma) et fait des choix de décors, de costumes, de lumières et de musique. Pour cela, il est entouré d'un **scénographe** qui l'aide à concrétiser ses idées. Dans la plupart de ses pièces, la troupe, qu'il considère comme une « nouvelle famille » « à chaque nouvelle aventure », est toujours très réduite et un comédien est amené à jouer plusieurs rôles. Ainsi, Jeanne Arènes (Molière de la révélation) interprète huit rôles différents. Les entrées et les sorties des personnages s'enchaînent donc dans un rythme haletant. Le critique Cédric Enjalbert (France Culture) donne un aperçu de la scénographie : « Avec un panneau en fond de scène, qui ménage des coulisses, des portants pour changer de peau, des accessoires et des décors à roulettes, l'équipe invente une pluralité de mondes, qu'elle déploie et replie en un souffle. » Les changements de décor et de costumes se font à vue. La vidéo est aussi utilisée pour évoquer les différentes époques et lieux que traversent les personnages. Sur scène, le spectateur assiste tour à tour à des numéros de magie, une projection cinématographique et une pièce de théâtre. La mise en scène très cinématographique d'Alexis Michalik se met ainsi au service de sa conception d'un théâtre « porteur d'histoire ».

Lire

La magie

1 P. 16, l. 130-141 : pourquoi peut-on dire qu'Avril est magicienne ?

2 Scène 10, p. 27, l. 1-14 : dans quel but Décembre se sert-il de la magie ?

3 Scène 70 (p. 122-123) : quels liens sont établis entre la magie et le théâtre ?

Le cinéma

4 P. 93, l. 17-21 : trouvez d'autres mots formés à partir de la racine grecque *graphe*. Quelle est la racine latine de *kineto* ? Trouvez des mots de la même famille.

5 Pensez-vous, comme Madame Gabrielle, que filmer la vie est « complètement idiot » (p. 94, l. 30) ?

6 P. 96, l. 21-28 : quelles sont les fonctions qu'assigne Georges au cinéma ?

7 Scènes 65 et 66 (p. 109-112) : comment le film pourra-t-il être « aussi réaliste que l'original » (p. 111, l. 33), voire « plus » réaliste ?

Le théâtre

8 Scène 1 (p. 9-10) : pourquoi l'illusion théâtrale est-elle brisée ?

9 Scène 70 (p. 122-123) : étudiez cette scène. En quoi répond-elle au prologue ?

10 Scène 14 (p. 33) : pourquoi peut-on parler de mise en abyme ? Justifiez votre réponse.

11 P. 63, l. 25 : à qui Jean s'adresse-t-il ?

Écrire

12 Scène 17, p. 38-39, l. 10-51 : vous ferez le commentaire de ce passage. Vous pourrez montrer que cette scène mêle habilement théâtre et magie, tout en proposant une réflexion sur l'illusion théâtrale.

13 Scène 48 (p. 85-87) : visionnez le film *L'Arrivée d'un train en gare de La Ciotat* de Louis Lumière. Écrivez ce qui se passe dans la salle de projection. Imaginez les réactions dans le public.

Chercher

14 Faites une recherche sur l'histoire de la télévision.

15 Faites un exposé sur le Turc mécanique et le canard de Vaucanson.

16 Regardez attentivement le tableau de Jérôme Bosch *L'Escamoteur*. Combien d'escamoteurs cette œuvre met-elle en scène ?

Oral

Débat

17 Pensez-vous, comme Georges, que l'« on exprime infiniment plus avec une image qu'avec des mots » (scène 32, p. 66, l. 16-17) ?

18 Scène 69 (p. 119-122) : quels liens faites-vous entre les jeux vidéo, la magie et le cinéma?

À SAVOIR

ILLUSION THÉÂTRALE

Dans sa *Poétique,* Aristote, philosophe grec, établit une échelle de valeurs entre différents genres littéraires selon leur degré d'imitation du réel (*mimesis*) : plus l'œuvre offre l'illusion du réel, plus notre plaisir esthétique est grand. Selon ce critère, la tragédie est reine. Les règles classiques, sous-tendues par le principe général de la **vraisemblance**, participent également de l'amenuisement de la distance entre ce qui est représenté et ce qui est réel. En outre, à partir du XVIe siècle, l'architecture du théâtre occidental évolue et la scène à l'italienne participe pleinement de cette illusion car la salle fait face au cadre de la scène. Ainsi, les spectateurs prennent place derrière le **mur invisible** qui se dresse entre eux et les personnages. Tout se passe comme si les comédiens ignoraient qu'ils étaient épiés par des spectateurs placés ainsi en position de voyeurs. **Denis Diderot**, écrivain du siècle des Lumières et théoricien du « quatrième mur », conseille aux comédiens, dans son *Discours sur la poésie dramatique*, de jouer « comme si la toile ne se levait pas ». **Antoine** (1858-1943), comédien, metteur en scène, directeur de théâtre et critique dramatique, pousse ce désir d'illusion en allant, par exemple, jusqu'à tourner le dos au public ou à placer de véritables quartiers de viande sur scène par souci naturaliste. Ce désir d'imitation est battu en brèche notamment par **Bertolt Brecht** au XXe siècle. Le dramaturge et metteur en scène allemand refuse que le théâtre ne soit que le reflet du réel et défend le principe de **distanciation** afin que le spectateur sorte de sa passivité et que la représentation ne soit pas simple divertissement mais invite à la réflexion plus qu'à l'identification.

Cette volonté de *mimesis* est poussée à son paroxysme avec le procédé de la **mise en abyme** (théâtre dans le théâtre) puisque, tel un trompe-l'œil, réalité et fiction s'entremêlent de façon vertigineuse. Ainsi, le public du *Cercle des illusionnistes* assiste aussi à différents spectacles de magie. Toutefois, ce désir d'illusion est brisé lorsque le personnage s'adresse directement au public; c'est le cas dans le prologue de la pièce.

GROUPEMENT DE TEXTES

ILLUSIONS THÉÂTRALES

Dans *Le Cercle des illusionnistes*, Alexis Michalik réfléchit aux pouvoirs de la magie, du cinéma et du théâtre, trois arts capables de donner l'illusion du réel. La limite entre la fiction et la réalité est alors ténue. Dans ce jeu de miroirs, la fiction semble pouvoir expliquer et révéler une réalité qui se pare, dès lors, d'une résonance magique et poétique. Le dramaturge contemporain s'inscrit ainsi dans le cercle des auteurs qui, grâce à la mise en abyme, interrogent le vertige de l'illusion théâtrale et posent une question fondamentale : que peut l'art dramatique dans la vie des hommes ?

William Shakespeare (1564-1616)

Hamlet, acte III, scène 2, 1603, traduction de François-Victor Hugo, 1865

Dans cette tragédie, le père d'Hamlet, roi du Danemark, a été assassiné par Claudius, son frère, qui a usurpé le trône et épousé la reine Gertrude. Le mort apparaît à son fils sous la forme d'un spectre. Il lui demande de le venger, après lui avoir révélé les circonstances de sa mort. Hamlet décide de faire jouer à la cour une pièce de théâtre dont l'intrigue reproduit les circonstances du meurtre. Il espère que cette illusion bouleversera son oncle et sa mère afin qu'éclate la vérité.

Dans ce premier extrait, Hamlet donne des conseils de jeu au comédien avant la représentation.

HAMLET

Ne soyez pas non plus trop châtié, mais que votre propre discernement soit votre guide : mettez l'action d'accord avec la parole, la parole d'accord avec l'action, en vous appliquant spécialement à ne jamais violer la nature; car toute exagération s'écarte du but du théâtre, qui, dès l'origine comme aujourd'hui, a eu et a encore pour objet d'être le miroir de la nature, de montrer à la vertu ses propres traits, à l'infamie sa propre image, et à chaque âge, à chaque transformation du temps, sa figure et son empreinte. Maintenant, si l'expression est exagérée ou affaiblie, elle aura beau faire rire l'ignorant, elle blessera à coup sûr l'homme judicieux dont la critique a, vous devez en convenir, plus de poids que celle d'une salle entière. Oh! j'ai vu jouer des acteurs, j'en ai entendu louer hautement qui n'avait ni accent, ni la tournure d'un chrétien, d'un païen, d'un homme! Ils s'enflaient et hurlaient de telle façon que, pour ne pas offenser Dieu, je les ai toujours crus enfantés par quelque journalier de la nature, qui, voulant faire des hommes, les avaient manqués, tant ils imitaient abominablement l'humanité.

PREMIER COMÉDIEN

J'espère que nous avons réformé cela passablement chez nous.

HAMLET

Oh! réformez-le tout à fait. Et que ceux qui jouent les clowns ne disent rien en dehors de leur rôle : car il en est qui se mettent à rire d'eux-mêmes pour faire rire un certain nombre de spectateurs ineptes, au moment même où il faudrait remarquer quelque situation essentielle de la pièce. Cela est indigne, et montre la plus pitoyable prétention chez le bouffon dont c'est l'usage. Allez vous préparer.

Sortent les comédiens.

[...]

Dans ce second extrait, la cour assiste à la représentation de la pièce, dans laquelle le personnage de Lucianus est le criminel, tout en la commentant.

HAMLET, *à la reine*

Madame, comment trouvez-vous cette pièce ?

LA REINE

La dame fait trop de protestations, ce me semble.

HAMLET

Oh ! mais elle tiendra parole !

LE ROI

Connaissez-vous le sujet de la pièce ? tout y est-il inoffensif ?

HAMLET

Oui, oui ! Ils font tout cela pour rire ; du poison pour rire ! rien que d'inoffensif !

LE ROI

Comment appelez-vous la pièce ?

HAMLET

***La Souricière.* Comment ? Pardieu ! Au figuré. Cette pièce est le tableau d'un meurtre commis à Vienne. Le duc s'appelle Gonzague, sa femme Baptista. Vous allez voir. C'est une œuvre infâme ; mais qu'importe ? Votre Majesté et moi, nous avons la conscience libre, cela ne nous touche pas. Que les rosses que cela écorche ruent, nous n'avons pas l'échine entamée.**

Entre sur le second théâtre Lucianus.

Celui-ci est un certain Lucianus, neveu du roi.

OPHÉLIE

Vous remplacez parfaitement le chœur, monseigneur.

HAMLET

Je pourrais expliquer ce qui se passe entre vous et votre amant, si je voyais remuer les marionnettes.

OPHÉLIE

Vous êtes piquant, monseigneur, vous êtes piquant !

HAMLET

Il ne vous en coûterait qu'un cri pour que ma pointe fût émoussée.

OPHÉLIE

De mieux en pire.

HAMLET

C'est la désillusion que vous causent tous les maris… Commence, meurtrier, laisse là tes pitoyables grimaces, et commence. Allons !
« Le corbeau croasse : Vengeance ! »

LUCIANUS

Noires pensées, bras dispos, drogue prête, heure favorable.
L'occasion complice ; pas une créature qui regarde.
Mixture infecte, extraite de ronces arrachées à minuit,
Trois fois flétrie, trois fois empoisonnée par l'imprécation d'Hécate,
Que ta magique puissance, que tes propriétés terribles
Ravagent immédiatement la santé et la vie !

Il verse le poison dans l'oreille du roi endormi.

HAMLET

Il l'empoisonne dans le jardin pour lui prendre ses États. Son nom est Gonzague. L'histoire est véritable et écrite dans le plus pur italien. Vous allez voir tout à l'heure comment le meurtrier obtient l'amour de la femme de Gonzague.

OPHÉLIE

Le roi se lève.

HAMLET

Quoi ! effrayé par un feu follet ?

LA REINE

Comment se trouve monseigneur ?

POLONIUS

Arrêtez la pièce !

LE ROI

Qu'on apporte de la lumière ! Sortons.

TOUS

Des lumières ! des lumières ! des lumières !

Tous sortent, excepté Hamlet et Horatio.

QUESTIONS

1. Quelles sont les fonctions qu'assigne Hamlet au théâtre ?
2. La stratégie d'Hamlet se révèle-t-elle efficace ?

Pierre Corneille (1606-1684)

L'Illusion comique, acte V, scène 5, 1639 (publication), 1636 (représentation)

Dans cette pièce baroque, Corneille utilise le procédé du théâtre dans le théâtre pour éclairer les cœurs. Clindor s'est enfui de la maison familiale à cause de la sévérité de son père, Pridamant. Ce dernier s'adresse à Alcandre, un magicien, qui, grâce à ses enchantements, lui donne à voir la vie mouvementée de son fils et sa mort. Mais ce n'est qu'une illusion : Clindor est comédien et bien vivant !

PRIDAMANT

Cette réflexion, mal propre pour un père,
Consolerait peut-être une douleur légère ;
Mais après avoir vu mon fils assassiné,
Mes plaisirs foudroyés, mon espoir ruiné,
J'aurais d'un si grand coup l'âme bien peu blessée,
Si de pareils discours m'entraient dans la pensée.
Hélas ! dans sa misère il ne pouvait périr ;
Et son bonheur fatal lui seul l'a fait mourir.
N'attendez pas de moi des plaintes davantage :
La douleur qui se plaint cherche qu'on la soulage ;
La mienne court après son déplorable sort.
Adieu ; je vais mourir, puisque mon fils est mort.

ALCANDRE

D'un juste désespoir l'effort est légitime,
Et de le détourner je croirais faire un crime.
Oui, suivez ce cher fils sans attendre à demain ;
Mais épargnez du moins ce coup à votre main ;
Laissez faire aux douleurs qui rongent vos entrailles,
Et pour les redoubler voyez ses funérailles.

Ici on relève la toile, et tous les comédiens paraissent avec leur portier, qui comptent de l'argent sur une table, et en prennent chacun leur part.

PRIDAMANT

Que vois-je ? Chez les morts compte-t-on de l'argent ?

ALCANDRE

Voyez si pas un d'eux s'y montre négligent.

PRIDAMANT

Je vois Clindor ! Ah dieux ! Quelle étrange surprise !
Je vois ses assassins, je vois sa femme et Lyse !

Quel charme en un moment étouffe leurs discords,
Pour assembler ainsi les vivants et les morts?

ALCANDRE

Ainsi tous les acteurs d'une troupe comique,
Leur poème récité, partagent leur pratique :
L'un tue, et l'autre meurt, l'autre vous fait pitié;
Mais la scène préside à leur inimitié.
Leurs vers font leurs combats, leur mort suit leurs paroles,
Et, sans prendre intérêt en pas un de leurs rôles,
Le traître et le trahi, le mort et le vivant,
Se trouvent à la fin amis comme devant.
Votre fils et son train ont bien su, par leur fuite,
D'un père et d'un prévôt éviter la poursuite;
Mais tombant dans les mains de la nécessité,
Ils ont pris le théâtre en cette extrémité.

PRIDAMANT

Mon fils comédien!

ALCANDRE

D'un art si difficile
Tous les quatre, au besoin, ont fait un doux asile;
Et depuis sa prison, ce que vous avez vu,
Son adultère amour, son trépas imprévu,
N'est que la triste fin d'une pièce tragique
Qu'il expose aujourd'hui sur la scène publique,
Par où ses compagnons en ce noble métier
Ravissent à Paris un peuple tout entier.
Le gain leur en demeure, et ce grand équipage,
Dont je vous ai fait voir le superbe étalage,
Est bien à votre fils, mais non pour s'en parer
Qu'alors que sur la scène il se fait admirer.

PRIDAMANT

J'ai pris sa mort pour vraie, et ce n'était que feinte;
Mais je trouve partout mêmes sujets de plainte.
Est-ce là cette gloire, et ce haut rang d'honneur
Où le devait monter l'excès de son bonheur?

ALCANDRE

Cessez de vous en plaindre. À présent le théâtre
Est en un point si haut que chacun l'idolâtre,
Et ce que votre temps voyait avec mépris
Est aujourd'hui l'amour de tous les bons esprits,
L'entretien de Paris, le souhait des provinces,
Le divertissement le plus doux de nos princes,
Les délices du peuple, et le plaisir des grands :
Il tient le premier rang parmi leurs passe-temps;
Et ceux dont nous voyons la sagesse profonde
Par ses illustres soins conserver tout le monde,
Trouvent dans les douceurs d'un spectacle si beau
De quoi se délasser d'un si pesant fardeau.
Même notre grand roi, ce foudre de la guerre,
Dont le nom se fait craindre aux deux bouts de la terre,
Le front ceint de lauriers, daigne bien quelquefois
Prêter l'œil et l'oreille au Théâtre-François :
C'est là que le Parnasse étale ses merveilles;
Les plus rares esprits lui consacrent leurs veilles;
Et tous ceux qu'Apollon voit d'un meilleur regard
De leurs doctes travaux lui donnent quelque part.
D'ailleurs, si par les biens on prise les personnes,
Le théâtre est un fief dont les rentes sont bonnes;
Et votre fils rencontre en un métier si doux
Plus d'accommodement qu'il n'eût trouvé chez vous.

Défaites-vous enfin de cette erreur commune,
Et ne vous plaignez plus de sa bonne fortune.

PRIDAMANT

Je n'ose plus m'en plaindre, et vois trop de combien
Le métier qu'il a pris est meilleur que le mien.
Il est vrai que d'abord mon âme s'est émue :
J'ai cru la comédie au point où je l'ai vue ;
J'en ignorais l'éclat, l'utilité, l'appas,
Et la blâmais ainsi, ne la connaissant pas ;
Mais depuis vos discours mon cœur plein d'allégresse
A banni cette erreur avecque sa tristesse.
Clindor a trop bien fait.

ALCANDRE

N'en croyez que vos yeux.

QUESTIONS

1. Selon Alcandre, qu'apporte le théâtre aux hommes ?

2. Quels sont les enseignements que Pridamant retire de cette illusion théâtrale ?

Molière (1622-1673)

L'Impromptu de Versailles, scène 4, 1663

Louis XIV demande à Molière d'écrire une pièce pour répondre aux attaques qu'il a subies avec *L'École des femmes*, ce que le dramaturge fait avec *La Critique de l'École des femmes* et *L'Impromptu de Versailles*. Cette comédie donne à voir la dernière répétition d'une pièce dans laquelle Molière joue le rôle d'un marquis qui attaque Molière, tout en étant le chef de troupe !

MOLIÈRE

« Nous disputons qui est le marquis de la Critique de Molière : il gage que c'est moi, et moi je gage que c'est lui. »

BRÉCOURT

« Et moi, je juge que ce n'est ni l'un ni l'autre. Vous êtes fous tous deux, de vouloir vous appliquer ces sortes de choses ; et voilà de quoi j'ouïs l'autre jour se plaindre Molière, parlant à des personnes qui le chargeaient de même chose que vous. Il disait que rien ne lui donnait du déplaisir comme d'être accusé de regarder quelqu'un dans les portraits qu'il fait ; que son dessein est de peindre les mœurs sans vouloir toucher aux personnes, et que tous les personnages qu'il représente sont des personnages en l'air, et des fantômes proprement, qu'il habille à sa fantaisie, pour réjouir les spectateurs ; qu'il serait bien fâché d'y avoir jamais marqué qui que ce soit ; et que si quelque chose était capable de le dégoûter de faire des comédies, c'était les ressemblances qu'on y voulait toujours trouver, et dont ses ennemis tâchaient malicieusement d'appuyer la pensée, pour lui rendre de mauvais offices auprès de certaines personnes à qui il n'a jamais pensé. Et en effet je trouve qu'il a raison ; car pourquoi vouloir, je vous prie, appliquer tous ses gestes et toutes ses paroles, et chercher à lui faire des affaires en disant hautement : « Il joue un tel » lorsque ce sont des choses qui peuvent convenir à cent personnes ? Comme l'affaire de la comédie est de représenter en général tous les défauts des hommes, et principalement des hommes de notre siècle, il est impossible à Molière de faire aucun caractère qui ne rencontre quelqu'un dans le monde ; et s'il faut qu'on l'accuse d'avoir songé toutes les personnes où l'on peut trouver les défauts qu'il peint, il faut sans doute qu'il ne fasse plus de comédies. »

MOLIÈRE

« Ma foi, Chevalier, tu veux justifier Molière, et épargner notre ami que voilà. »

LA GRANGE

« Point du tout. C'est toi qu'il épargne, et nous trouverons d'autres juges. »

MOLIÈRE

« Soit. Mais, dis-moi, Chevalier, crois-tu pas que ton Molière est épuisé maintenant, et qu'il ne trouvera plus de matière pour… ? »

BRÉCOURT

« Plus de matière ? Eh ! mon pauvre Marquis, nous lui en fournirons toujours assez, et nous ne prenons guère le chemin de nous rendre sages pour tout ce qu'il fait et tout ce qu'il dit. »

MOLIÈRE

Attendez, il faut marquer davantage tout cet endroit. Écoutez-le-moi dire un peu. « Et qu'il ne trouvera plus de matière pour… – Plus de matière ? Hé ! mon pauvre Marquis, nous lui en fournirons toujours assez, et nous ne prenons guère le chemin de nous rendre sages pour tout ce qu'il fait et tout ce qu'il dit. Crois-tu qu'il ait épuisé dans ses comédies tout le ridicule des hommes ? Et, sans sortir de la cour, n'a-t-il pas encore vingt caractères de gens où il n'a point touché ? N'a-t-il pas, par exemple, ceux qui se font les plus grandes amitiés du monde, et qui, le dos tourné, font galanterie de se déchirer l'un l'autre ? N'a-t-il pas ces adulateurs à outrance, ces flatteurs insipides, qui n'assaisonnent d'aucun sel les louanges qu'ils donnent, et dont toutes les flatteries ont une douceur fade qui fait mal au cœur à ceux qui les écoutent ? N'a-t-il pas ces lâches courtisans de la faveur, ces perfides adorateurs de la fortune, qui vous encensent dans la prospérité et vous accablent dans la disgrâce ? N'a-t-il pas ceux qui sont toujours mécontents de la cour, ces suivants inutiles, ces incommodes assidus, ces gens, dis-je, qui pour services ne peuvent compter que des importunités, et qui veulent que l'on les récompense d'avoir obsédé le Prince dix ans durant ? N'a-t-il pas ceux qui caressent également tout le monde, qui promènent leurs civilités à droit et à gauche, et courent à tous ceux qu'ils voient avec les mêmes embrassades et les mêmes protestations d'amitié ? « Monsieur, votre très humble serviteur. – Monsieur, je suis tout à votre service. – Tenez-moi des vôtres, mon cher. – Faites état de moi, Monsieur, comme du plus chaud de vos amis. – Monsieur, je suis ravi de vous embrasser. – Ah ! Monsieur, je ne vous voyais pas ! Faites-moi la grâce de m'employer. Soyez persuadé que je suis entièrement à vous. Vous êtes l'homme du monde que je révère le plus. Il n'y a personne que j'honore à l'égal de vous. Je vous conjure de le croire. Je vous supplie de n'en point douter. – Serviteur. – Très humble valet. » Va, va, Marquis, Molière aura toujours plus de sujets qu'il n'en voudra ; et tout ce qu'il a touché jusqu'ici n'est rien que bagatelle au prix de ce qui reste. Voilà à peu près comme cela doit être joué.

BRÉCOURT

C'est assez.

QUESTIONS

1. Quelle est la vertu principale de la comédie, selon Brécourt ?

2. Pourquoi cette scène pousse-t-elle à son paroxysme l'illusion théâtrale ?

Interview

Pour la collection « Classiques & Contemporains », Alexis Michalik a accepté de répondre aux questions de Cécile Richaudeau, professeure de Lettres et auteure du présent appareil pédagogique.

Cécile Richaudeau : Quelles sont les pièces de théâtre qui vous ont marqué ? Y a-t-il des textes qui vous ont particulièrement inspiré dans l'écriture du *Cercle des illusionnistes* ?

Alexis Michalik : Beaucoup de pièces m'ont marqué au cours de ma courte vie. Ce sont plutôt des metteurs en scène, à vrai dire, que des auteurs. Évidemment, j'adore les classiques, Shakespeare, Beaumarchais, Goldoni, j'en passe et des meilleurs, mais je suis surtout très attaché aux metteurs en scène comme Ariane Mnouchkine, Peter Brook, Wajdi Mouawad (même si, pour le coup, c'est plus de ses textes que de sa mise en scène que je suis fan), Jean-François Sivadier, Simon McBurney, enfin des metteurs en scène qui donnent la part belle aux théâtres populaires et à la narration, qui sont très différents, mais que je suis avec attention.

Après, s'il y a des textes qui m'ont inspiré pour l'écriture du *Cercle des illusionnistes* ? Ce sont surtout les histoires réelles de la vie de Georges Méliès et de Robert-Houdin, puisque l'anecdote, le départ, c'est que j'ai lu (sur Internet) : que Robert-Houdin était tellement connu à l'époque qu'il avait été envoyé en Algérie pour prouver aux populations indigènes que la magie française était plus puissante que celle de leurs marabouts locaux qui excitaient les populations, les chefs des tribus locales contre les Français, et il a fait ça. C'est là que je me suis intéressé à la vie de ce magicien (que je ne connaissais pas, puisque je ne suis pas particulièrement passionné de magie) et j'ai découvert qu'il avait grosso modo inventé la magie moderne telle qu'on la connaît, avec ce magicien en costume noir, et qu'il avait créé son propre théâtre d'illusion, qu'il était extrêmement connu à l'époque et que ce théâtre avait été repris vingt ans après sa mort par Georges Méliès, alors fils d'un industriel de la chaussure qui avait fait ses premiers spectacles de magie avant de réaliser ses premiers films. Je me suis dit : « Tiens, personne n'a jamais raconté cette histoire, n'a jamais raconté ce lien entre ces deux histoires. » J'ai donc évidemment beaucoup lu sur leurs deux vies, sur leurs biographies respectives. Robert-Houdin a écrit un livre qui s'appelle *Une vie d'artiste* qui raconte un peu sa jeunesse et comment il en est arrivé à la magie, avec évidemment du vrai et du faux, mais assez passionnant à lire. J'ai également lu beaucoup de choses sur Georges Méliès, notamment la biographie très riche qu'a écrite sa petite-fille, Madeleine Malthête-Méliès, qui l'a connu au début de sa vie et qui a vécu avec lui quand elle était enfant. Ensuite, le challenge a été de mêler ces deux textes, c'est-à-dire de parvenir à raconter une partie de la vie de Robert-Houdin et une partie de la vie de Georges Méliès, et en même temps que cela fasse sens et que cela fasse une seule histoire, donc d'y adjoindre une histoire inventée. Ce processus de mêler plusieurs époques, je l'avais fait dans *Le Porteur d'histoire*[1], mais je ne l'avais pas fait avec deux personnages réels qui sont deux des trois fils rouges de cette histoire.

C. R. : Vos personnages se débattent parfois pour vivre de leur art. Quel sens donnez-vous au succès ?

A. M. : Le succès, c'est le moment où l'on peut vivre de son art tout simplement. Pour moi, le premier succès, c'est de parvenir à vivre de son art, et tout le reste c'est du bonus. Mais l'issue qu'ils ont n'est pas seulement de vivre de leur art, c'est de convaincre leur entourage, convaincre leurs parents qu'ils ont le droit et qu'ils ont une légitimité dans ce milieu – Robert-Houdin dans la magie et Georges Méliès aussi par la suite –, surtout avec

---

1. À retrouver dans la collection « Classiques & Contemporains », n° 195.

des parents qui n'ont rien à voir avec ce milieu. Je pense que ce sont des problématiques auxquelles chaque personne qui veut se lancer dans un métier artistique va être confrontée à un moment ou un autre, mais quand la passion vous gagne, c'est plus fort que vous et on finit par aller au bout de son envie. Mais effectivement, le succès, c'est le moment où ça légitime votre position dans votre secteur culturel.

C. R. : Quel conseil donneriez-vous à un jeune qui veut se lancer dans le théâtre en tant que dramaturge, comédien ou metteur en scène ?
A. M. : Je lui conseillerais d'abord de travailler et de tout donner très jeune, d'aller voir des films, d'aller voir des pièces, de lire des romans, de regarder la télé, de regarder Netflix, de regarder des vidéos sur Internet, d'être curieux, de parler aux gens, de questionner, d'aller rencontrer, et puis de travailler, s'il veut être comédien de prendre des cours de théâtre, et puis d'être déjà, dès le début, spontané et studieux, sympa et volontaire.
S'il veut être dramaturge, d'écrire, il n'y a pas de mystère, de commencer à écrire, de réécrire et puis d'écrire autre chose, puis de continuer à écrire, de faire lire aussi, de recevoir des critiques et de continuer à écrire.
De ces trois métiers, le métier de metteur en scène est celui qui demande le plus un amour des responsabilités et un amour de la position de chef d'équipe, puisque c'est vraiment l'initiateur d'un projet, et on va dire que les qualités humaines de *leadership* ou de *management* sont presque plus importantes (je pense) que ce qu'il a à dire, puisqu'il s'agit avant tout de choisir, puis de fédérer une équipe pour la mener au bout d'un projet.

C. R. : On dit que votre écriture théâtrale est cinématographique. Quel procédé empruntez-vous au cinéma ?
A. M. : Tout d'abord, le plus évident, c'est que j'écris mes pièces comme un scénario, c'est-à-dire que je n'écris pas des actes. On va dire que la façon

traditionnelle d'écrire du théâtre, c'est acte par acte ; moi pas du tout. J'écris de courtes scènes. Au cinéma, on a l'opportunité de changer de décor sans aucun problème ; on a donc plutôt tendance à écrire des courtes scènes efficaces. Au théâtre, comme c'est plus facile de garder le même décor, on va se dire « je vais écrire une longue scène où peuvent varier les décors. » Moi, je ne me bride jamais et donc la narration est toujours plus importante que tout. Elle passe avant tout et donc j'essaie d'être le plus efficace possible, sans tenir compte des problèmes que cela va poser au metteur en scène. Je fais donc principalement des scènes courtes, avec des *flash-backs*, des *flashforwards*, des procédés un peu employés au cinéma. Après, dans la mise en scène, j'ai également une approche un peu cinématographique, dans le traitement, dans les fondus enchaînés, et dans le rythme surtout, puisqu'au cinéma il n'y a pas de coupure entre deux scènes. Au théâtre, j'essaie de faire en sorte que la pièce ne s'arrête pas et que les changements d'une scène à l'autre, d'un décor à l'autre, s'effectuent à vue pendant que la scène est déjà en train de démarrer – tout cela dans le but, évidemment, de happer le spectateur et de ne pas le perdre.

C. R. : Dans votre pièce, le football, la magie, le cinéma ou le théâtre sont toujours décrits comme une aventure collective. Pourquoi y êtes-vous si sensible ?

A. M. : J'y suis sensible parce qu'il me semble que la force du collectif est plus forte que tout. Je pense que l'homme est un animal sociable et je considère que l'on nous apprend très tôt à être en compétition, à essayer d'être le meilleur ou la meilleure, essayer d'avoir les meilleures notes à l'école, d'avoir les meilleures écoles, d'avoir le plus gros salaire. On est dans une espèce de compétition permanente, alors qu'en réalité on devrait plutôt nous apprendre à coopérer puisque c'est en coopérant que l'homme est vraiment fort et ce n'est pas en étant seul. Et le théâtre, c'est la force du collectif, parce que les acteurs, quand ils jouent ensemble, ont besoin l'un de l'autre pour jouer. Il n'y a pas de hiérarchie. En tout cas, j'essaie de ne pas imposer de hiérarchie et d'avoir des rôles équivalents pour tous les acteurs de mes troupes. Le football, c'est pareil. La magie, il y a le magicien, mais il y a du monde derrière qui participe. Et le cinéma aussi. Je suis un homme de troupe, j'aime bien quand il y a des gens autour.

C. R. : Pourquoi avoir fait le choix de n'avoir que six comédiens pour jouer tant de personnages ?
A. M. : À chaque fois que je commence à écrire une pièce, je l'écris d'abord, et une fois que je l'ai écrite, je me penche vers la pièce et je me dis : « Quel serait le nombre minimum de comédiens qui peuvent jouer cette pièce ? » Pour *Le Cercle*, c'était six. S'il n'y en avait eu que cinq, concrètement il n'y aurait pas eu assez de temps pour changer de costume. De plus, il y a des scènes où ils sont censés être six. S'il y en avait eu un de plus, le comédien supplémentaire se serait probablement ennuyé parce qu'il aurait eu une partition moins importante que les autres. J'essaie donc d'avoir un équilibre entre toutes les partitions.

C. R. : Votre écriture dramaturgique est étroitement liée à sa mise en scène ; celle du *Cercle des illusionnistes* a-t-elle posé des problèmes particuliers ?
A. M. : Oui, clairement, c'était la mise en scène la plus dense et la plus complexe en termes de changements de décors et de costumes. Il a fallu trouver vraiment beaucoup, beaucoup de stratagèmes pour parvenir à faire en sorte que ces changements soient faits dans les temps. Parfois, ils n'avaient que trois secondes pour passer d'un costume à l'autre. Ma costumière, Marion Rebmann, s'est renseignée sur les costumes de magie et sur les transformismes ; elle a truffé les costumes d'aimants et on a trouvé plein de petites astuces pour pouvoir se changer très rapidement. Puis, au milieu de tout ça,

il y avait aussi de la vidéo, un spectacle de magie en plein milieu de la pièce, ça a aussi été du travail et il a fallu que les comédiens apprennent la magie (ils avaient des cours de magie tous les samedis). En fait, à chaque fois que je construis un spectacle, je réfléchis à lui donner une sorte de méta-théâtralité. En l'occurrence, le thème étant la magie, il fallait que le spectacle soit magique, il fallait qu'il soit écrit comme un tour de magie, c'est-à-dire qu'à la fin il y ait la révélation finale et qu'on ait détourné l'attention du spectateur pendant tout ce temps-là, et pouf ! la fin se termine un peu en révélation. Et puis, visuellement, il fallait aussi qu'il y ait plein de petits moments où le spectateur se dit : « Ah, tiens, je ne sais pas comment ils ont fait là ! », et que ce ne soit même pas le problème, puisqu'en fait on est sur l'histoire.

C. R. : En quoi est-ce important pour vous que votre intrigue ait un ancrage historique ?

A. M. : Ce n'est pas nécessairement important, je peux complètement faire une pièce qui n'ait pas un ancrage historique, mais j'adore l'histoire et je considère qu'il s'agit d'un matériau et d'une source d'inspiration. Donc souvent, c'est en lisant des livres, c'est en regardant en arrière que je me dis « tiens, mais cette anecdote, je n'en avais jamais entendu parler, pourtant c'est passionnant, n'y aurait-il pas une histoire à faire ? » Souvent, ça part donc d'un point de vue, d'une anecdote historique, d'une personne historique ou d'une histoire que peu de gens connaissent, puis je me dis : « Comment je raconte ça, comment j'utilise ça ? » Je ne vais pas juste faire l'historien et faire une liste de ce qui s'est passé ; je vais y amener une histoire et je vais essayer de mêler la fiction et la réalité, pour que le spectateur soit vraiment happé et qu'à la fin, en sortant, il se dise : « Tiens, je suis curieux de savoir ce qui est vrai et ce qui est faux, je vais aller me renseigner ».

C. R. : Pourquoi faire rire au théâtre est-il si important à vos yeux ? Quelle importance donnez-vous au comique de vos pièces ?
A. M. : Je passerais la question à Shakespeare qui, même au cœur de ses tragédies, met des scènes de *comic relief*, de relâche comique, pour que le spectateur se dénoue. Et puis parce que le rire, c'est fédérateur. Le rire permet de ne pas trop se prendre au sérieux. Le rire permet de raconter des histoires un peu merveilleuses, mais en disant : « je n'ai pas un ton trop professoral ou doctoral, ça reste juste du théâtre. » J'aime tout simplement rire au théâtre et j'aime faire rire. Maintenant, je considère vraiment que je ne suis pas un très bon auteur de comédie. En tout cas, je trouve que la comédie est ce qu'il y a de plus difficile (pour moi, clairement). Il y a des répliques drôles, des scènes de comédie, mais pas que, c'est essentiel. J'ai un profond respect pour les grands auteurs de comédie.

C. R. : Votre personnage Avril croit au signe du destin, et dans le même temps, elle invente sa vie. Quelle part revient à l'homme face au destin ?
A. M. : Ah là, c'est une question métaphysique… En réalité, je l'interroge, je ne suis pas là pour faire un cours, je suis là pour proposer des choses. Après, chacun fait sa petite tambouille personnelle. Je pense que l'homme (comme je le fais dire à l'horloger) a un pouvoir illimité, que l'homme, au sens large bien sûr, l'homme et la femme, ont un pouvoir illimité puisqu'ils sont maîtres de leur propre destin, puisqu'ils sont capables en tout cas d'influer fortement sur leur vie. Après, ils vont parfois rencontrer le hasard, la chance ou la malchance, mais ils ont un pouvoir extraordinaire. Je pense que chacun est son propre dieu. C'est mon avis personnel. Maintenant, il est bon pour chacun aussi d'avoir un rapport au mystique, à la théologie, à Dieu, aux signes du destin, au karma, enfin on l'appelle comme on veut, parce que je pense que c'est un besoin de poésie déjà – parce qu'on a tous besoin de poésie dans la vie, et la poésie, c'est irrationnel –, et aussi parce

que c'est une manière de se rassurer, de se dire qu'on n'est pas tout seul dans l'univers et qu'il y a des forces plus grandes qui nous rassurent. Maintenant, je pense fondamentalement que l'homme est son propre dieu.

C. R. : Est-ce qu'à l'image de Robert-Houdin et de Georges Méliès, vous vous considérez comme un illusionniste ?
A. M. : Je me considère avant tout surtout comme un raconteur d'histoires. Je pense qu'eux sont de véritables magiciens, bien sûr. En revanche, je n'ai pas l'impression de faire justement de l'illusion, parce que l'illusion c'est parvenir à berner le public et je mets toujours un point d'honneur à tout montrer, à donner les clés. Tout est à vue. Les acteurs sont souvent en scène avant que le spectacle commence. Il y a un prologue qui dit « On est des acteurs et on va quand même essayer de vous faire voyager ». Je ne pense ne pas être un illusionniste, mais je tâche humblement d'être un raconteur d'histoires.

C. R. : Pourquoi avez-vous eu envie d'écrire sur les pouvoirs de la création sous toutes ses formes ?
A. M. : En fait, le sujet est apparu à la fin de la pièce, une fois que j'ai fini d'écrire. Au départ, la thématique était beaucoup plus large, parce que cette anecdote de Robert-Houdin en Algérie était le centre de ma pièce. J'ai écrit une vingtaine de pages sur cette anecdote, ce voyage de Robert-Houdin en Algérie, et à la fin, quand j'ai relu l'ensemble, c'était indigeste, parce que c'était déjà beaucoup trop long et puis il n'y avait pas vraiment de lien entre la partie Robert-Houdin et l'Algérie. Au début, ma thématique était plutôt le pouvoir, et comment le pouvoir récupérait l'illusion, utilisait l'illusion, et évidemment l'illusion qu'est le pouvoir. Puis, je me suis rendu compte que c'était un peu dense, que l'ensemble manquait de corps. Et surtout, j'avais la sensation d'enfoncer des portes ouvertes et de dire des choses pas

très intéressantes sur la vie, la politique et tout ça. Et donc, j'ai coupé toute cette partie centrale, alors que je trouvais que c'était pas mal, mais ça n'allait pas avec l'ensemble. J'ai beaucoup coupé, et au final la thématique m'est apparue : c'était juste le fait de devenir artiste, le fait de devenir un magicien, de devenir un raconteur, de devenir un artiste. Et quel pouvoir justement, simplement être un artiste, c'était le pouvoir de faire voyager les foules, d'amener les gens, de les transporter, voilà.

C. R. : Le personnage de l'horloger n'est-il pas votre double en tant que dramaturge et metteur en scène ?
A. M. : Ah, ah, ah… Je ne sais pas si c'est mon double. En tout cas, j'avais envie d'une figure magique. En écrivant cette pièce, je me suis dit : « Il faut qu'il y ait de la magie, je ne peux pas juste raconter quelque chose de bêtement réaliste. Je parle de deux magiciens, il faut qu'il y ait un personnage qui représente, qui incarne la magie. » J'ai donc eu cette idée de l'horloger qui est cette espèce (il le dit lui-même) de grand souffleur, il est l'âme des saltimbanques. C'est un peu Puck dans Shakespeare, ces figures qui représentent un peu la muse de l'artiste, celui qui amène l'idée, celui qui souffle. Et donc, c'est un personnage, évidemment, qui traverse les âges et qui susurre aux oreilles des poètes.

INFORMATION/DOCUMENTATION

BIBLIOGRAPHIE

• Pièces de théâtre d'Alexis Michalik

– *Le Porteur d'histoire*, Les Cygnes, 2012, coll. « Classiques & Contemporains », Magnard, 2019.
– *Le Cercle des illusionnistes*, Les Cygnes, 2014, coll. « Classiques & Contemporains », Magnard, 2019.
– *Edmond*, Albin Michel, 2016, coll. « Classiques & Contemporains », Magnard, 2018.
– *Intra Muros*, Les Cygnes, 2017.

• Bande dessinée

– *Le Porteur d'histoire* (adaptation et dessins de Christophe Gaultier), Les Arènes, 2016.
– *Edmond* (adaptation et dessins de Léonard Chemineau), Rue de Sèvres, 2018.

FILMOGRAPHIE

– *Edmond*, 2019.
– *Friday Night*, 2016.
– *Au sol*, 2014.

VIDÉOGRAPHIE

– Bande-annonce du *Cercle des illusionnistes* (YouTube).
– Interview de deux comédiens, *Journal* (Polynesie1ère), 17 novembre 2016 (You Tube).
– Alexis Michalik Masterclass École Artefact, 8 janvier 2015 (YouTube).
– *28 minutes* (Arte), 12 mars 2018 (YouTube).
– *Stupéfiant !* (France 2), 14 mars 2017 (YouTube).
– *Télérama*, Alexis Michalik : une heure en tête-à-tête avec le comédien, 24 octobre 2018 (YouTube).
– *France Inter*, Alexis Michalik : « Le théâtre c'est une religion athée », 16 juin 2017

VISITES

– Maison de la magie Robert-Houdin, 1 place du Château, Blois.
– Musée de la Magie et musée des Automates, 11 rue Saint-Paul, Paris.
– La Cinémathèque française, 51 rue de Bercy, Paris.

SITES INTERNET

- www.alexismichalik.com
- www.melies.eu/bio.html
- www.meliesfilms.com
- https://gallica.bnf.fr/blog/14062018/robert-houdin-la-magie-de-la-science

ÉMISSION DE RADIO

- *France Culture*, critique de Cédric Enjalbert, *Le Cercle des illusionnistes*, 5 février 2014.